COLLECTION FOLIO

Tonino Benacquista

Romanesque

Gallimard

Après avoir exercé divers métiers qui ont servi de cadre à ses premiers romans, Tonino Benacquista construit une œuvre dont la notoriété croît sans cesse. Après les intrigues policières de *La maldonne des sleepings* et de *La commedia des ratés*, il écrit *Saga*, qui reçoit le Grand Prix des lectrices de *Elle* en 1998, et *Quelqu'un d'autre*, Grand Prix RTL-*Lire* en 2002. *Nos gloires secrètes*, recueil paru en 2013, a reçu le Grand Prix SGDL de la nouvelle 2014 et le prix de la Nouvelle de l'Académie française 2014.

Scénariste pour la bande dessinée (*L'Outremangeur*, *La boîte noire*, illustrés par Jacques Ferrandez), il écrit aussi pour le cinéma : il est coscénariste avec Jacques Audiard de *Sur mes lèvres* et *De battre mon cœur s'est arrêté*, qui leur valent un césar en 2002 et en 2006. *Malavita* (2004) a été adapté au cinéma en 2013 par Luc Besson avec Robert De Niro, Michelle Pfeiffer et Tommy Lee Jones dans les rôles principaux.

À la mémoire d'Elena et de Iolanda

Jadis ces amants-là, après une nuit vagabonde, jetaient un dernier regard sur le monde encore assoupi, comme s'ils en avaient la charge. La nature leur semblait en ordre. La faune se sentait chez elle. Le jour pouvait se lever.

Aujourd'hui ils guettent la tombée de la nuit à travers les rideaux et s'inquiètent des bruits alentour. Ils se fichent bien de l'état du monde et de son devenir, seul le leur les préoccupe.

Ils quittent alors le lit pour oser quelques pas sur la coursive du motel. L'un s'installe sous le porche, l'autre près du distributeur de glaçons, car côte à côte ils prendraient un trop grand risque. En alternance ils se hasardent en ville – Bakersfield, Californie – pour y acheter de quoi se nourrir. Ils en reviennent épuisés à force d'étudier chaque regard croisé de peur d'être reconnus. La nuit venue, ils résistent à l'envie de se glisser dans la piscine enfin désertée. Quand l'un dort, l'autre surveille les informations sur les chaînes de télévision. Hier, au journal de 6 heures, le propriétaire du restaurant français « Monsieur Pierre » les a décrits comme des employés modèles, peu liants mais incapables de violence.

Aujourd'hui, pas de témoins, pas de photos anthropométriques fournies par les services français, pas de compte rendu sur les avancées de l'enquête. Il serait vain de s'en réjouir ; si l'actualité se lasse vite, la loi et ses serviteurs ne lâcheront jamais, ils sont puissants, opiniâtres, prêts à déployer un dispositif d'envergure. Comment espérer leur échapper à bord d'une épave qui bientôt va reprendre la route, mais pas celle prévue.

Leur seule destination désormais est une maison vert émeraude au toit rouge, sur une rive du Saint-Laurent, au Québec, à ce point de l'estuaire où l'été passent les baleines. S'ils parviennent à l'atteindre, alors ils retrouveront les gestes primitifs, se réchauffer à même le feu, puiser l'eau. Une fois pris dans les glaces, ils hiberneront comme deux ours lovés l'un contre l'autre en attendant le printemps et ses impatiences.

*

Ils traversent des plaines de sable blanc, empruntent les corridors de palmiers et les boulevards électriques de Las Vegas, franchissent des massifs ocre, longent les palaces écaillés et les dédales métalliques de Denver. À Chicago, leur Ford Capri, qui a besoin de repos et d'eau, les lâche sur une voie express qui borde le lac

Michigan. Ils la poussent jusqu'aux abords d'un parc.

Installés sur un banc, ils consultent les réseaux sociaux au cas où il serait question d'eux. Ils maudissent cette époque et sa belle technologie. À l'approche d'un promeneur ils cessent de parler français. À tour de rôle ils s'assoupissent, gagnés par le silence du lac. Lui se demande quel est ce drôle d'oiseau qui vient de se poser sur un rocher, comme issu d'une macreuse et d'un grèbe cornu. Elle repère des baies de sureau, sorties hors saison, et se retient d'en cueillir quelques-unes. Quand soudain l'un d'eux aperçoit au loin une gigantesque affiche de théâtre suspendue très en hauteur sur le toit d'une tour. On donne ce soir en ville un classique anglais, *Les mariés malgré eux*, qui termine ici sa tournée triomphale. En photo, les deux comédiens principaux vêtus dans des costumes d'époque : des époux en guenilles.

Les fuyards parviennent à se convaincre de ne pas céder à la tentation. Après un sans-faute depuis la Californie, ce serait une folie. Pour l'instant ils ont une longueur d'avance, ils sont invisibles. À ce rythme, dans moins de quinze heures ils seront au Canada. Pas question de commettre un faux pas si près du but.

Au guichet du Chicago Theatre on affiche complet, rien à l'orchestre, rien au balcon, ne reste qu'une loge d'avant-scène, parmi les plus chères, des places de notables. Ils comptent leurs derniers sous. Vraiment pas raisonnable. Mais à quel pouvoir la raison saurait-elle prétendre devant cette affiche : l'étreinte d'un vilain et d'une manante, si mal attifés, si faibles, si rayonnants.

Après tout, la ligne de frontière ne bougera pas d'ici leur passage, la neige ne fondra plus avant le printemps, les baleines patienteront jusqu'à leur arrivée avant de glisser sur le Saint-Laurent. Leur disparition peut attendre encore deux heures.

*

Dans le programme, une présentation sommaire de la pièce de Charles Knight, créée à Londres en 1721. Elle emprunte à une légende inspirée de faits réels : *Au Moyen Âge, en France, deux gueux pris de passion, incapables de se soumettre aux lois de la communauté, tiennent tête aux sages, aux prêtres, au roi lui-même. Sont-ils voués à l'Enfer ou bien au Paradis ?*

La scène, toute de lumière blanche, et le public dans la pénombre. Le réel vacille lentement vers un autre temps, celui du conte, où tout peut advenir, où tout est accepté, même l'extravagant, surtout l'extravagant, on y vient pour ça, le réel attend dehors, tapi, interdit d'entrée, les spectateurs en sont hors d'atteinte. Nous sommes dix siècles en arrière, dans une forêt. Une femme apparaît, un corsage, une longue jupe, des sandales, une coiffe, un panier, elle cueille des baies, savoure la caresse du soleil. Arrive un homme en tunique et gilet lacé, pantalon brun, hauts-de-chausses, il relève un collet, un lièvre pend à sa ceinture. Dans un instant ils vont poser les yeux l'un sur l'autre.

Dans leur loge à l'aplomb de la scène, les deux Français goûtent à cette imminence, prient pour qu'elle dure. Pour un peu ils mettraient en garde les deux innocents sur scène : *Vous allez embraser la Terre et le Ciel !* Mais à quoi bon, les châtiments et les damnations ne leur feront jamais regretter cet instant-là. Une fois l'inévitable accompli, au mieux pourrait-on leur crier, comme aucun esprit éclairé à l'époque ne l'avait fait : *Fuyez ensemble mais fuyez sur-le-champ, n'espérez rien de la civilisation, courez mais courez vite, ou elle vous rattrapera où que vous soyez.*

Les comédiens jouent l'insouciance, prêts à la joute galante. Mais dans les *faits réels*, les manants dont il est question ici avaient froid et peur. Leurs vêtements partaient en lambeaux et, ce matin-là, une lumière sale d'arrière-saison annonçait le pire des hivers.

Régnait alors sur leur pays un homme en souffrance.

Louis le Vertueux était rongé par un mal dont personne ne connaissait le nom mais que tous redoutaient, aussi disait-on *le* mal, puis l'on se signait. Car la mort avait déjà pris ses quartiers dans le corps du malheureux, un corps ayant perdu son droit divin, redevenu humain, tout de chair fétide, de nerfs vrillés, que ne parvenaient à réchauffer ni les fourrures précieuses ni même d'autres corps blottis contre le sien. Les médecins, impuissants, craignaient pour leur propre vie au chevet de ce roi que la douleur avait rendu cruel. Chaque matin ils vérifiaient que son urine était jaune et non rouge, son sang rouge et non brun, puis ils se risquaient à un diagnostic si obscur que le mal lui-même semblait accommodant. À mots couverts ils désignaient les hommes d'Église prompts à évoquer les miracles des Saintes Écritures pour justifier leur sublime ministère, mais qui devant un roi mourant s'en remettaient au Très-Haut. Sa raison déclinant, le Vertueux devint le Fou, car la démence devenait la seule issue terrestre à sa terrible angoisse. Il lui arrivait de punir tout homme valide osant se présenter à lui, ou d'offrir à un rustre un quartier de noblesse contre sa bonne santé. Il refusait de concevoir comment ses ministres, une fois débarrassés de leur devoir de compassion, s'en retournaient souper en famille puis trouvaient le sommeil. Comment le peuple vaquait à son ouvrage au lieu de remplir les églises pour prier au rétablissement de son souverain. Comment son impatient dauphin se hasardait déjà à essayer trône et couronne. Les bien-portants étaient-ils donc des monstres ? Fallait-il qu'un roi agonise pour qu'un million de ses sujets se parent de l'indifférence des rois ?

Une fois malade, Louis le Vertueux apprit à quel point les rois étaient naïfs de se croire aimés ou même redoutés, car le peuple était avant tout gouverné par deux tyrans auxquels il était vain de vouloir échapper, installés dans le cœur et les entrailles de chacun : la faim et la peur.

Faim et peur, peur et faim, rivales dans l'emprise qu'elles exerçaient sur les êtres mais assez complices pour se passer le relais car, à peine la faim calmée, la peur s'installait comme un tison dans les tripes, que seul parvenait à vaincre un autre feu, celui de la faim, déjà de retour, qui interdisait tout état d'âme.

En ce pays, à cette époque, le peuple combattait tout le jour durant une incessante série de craintes. Au réveil les hommes appréhendaient de quitter leur couche pour affronter la morsure du froid qui allait les punir de leur maigreur et de leurs guenilles. Une fois debout ils comptaient leurs enfants de peur que l'un d'eux ne fût mort dans la nuit, une mort dont personne ne se serait étonné tant elle avait de raisons de frapper. Leur pitance avalée, ils partaient au labeur, craignant que leurs champs ne fussent gelés ou ravagés par toutes sortes d'animaux, ou saccagés par des cavaliers de passage. La serpe à la main, ils tremblaient à l'idée que la récolte ne suffît ni à les nourrir ni à payer l'impôt, toujours plus injuste, que nul ne songeait à contester de peur du cachot. À l'heure de midi, ils redoutaient qu'une guerre ne vînt aggraver la famine et propager la violence, sans même savoir qui était l'ennemi ni pourquoi il avait envahi leur territoire – une guerre en chassait une autre pour des raisons que le bon peuple n'avait pas à connaître et il suffisait que le tocsin sonnât pour augurer des années de terreur. Au déclin du jour, se réveillaient les cent douleurs conçues pour empêcher les serfs de terminer leur ouvrage : éperons dans les reins, trépan dans le crâne, fiel dans les veines ; ils priaient alors le Ciel qu'aucune ne s'installe pour de bon et ne vire à la maladie. De retour au foyer, ils redoutaient d'avoir commis sans le vouloir un blasphème, comme de s'en prendre à Dieu pour cette croix qu'ils portaient chaque jour, et afin d'éviter l'Enfer ils avouaient leur impiété à un prêtre qui prononçait la sanction adéquate. Au crépuscule, ils partageaient un brouet avec les leurs avant d'aller s'étendre ; alors la fatigue, si redoutée au champ, devenait leur seule promesse d'oubli.

Jusque dans le besoin de fonder une famille, hommes et femmes cédaient à la tentation de conjurer leurs angoisses. Une toute jeune fille se voyait chassée de la maison par des parents voulant s'affranchir d'une bouche à nourrir. Quand elle n'avait pas rencontré Dieu, échappant ainsi à une vie de dévotion et de renoncement, elle se mettait en quête d'un mari pour se préserver de toutes les tristes fins d'une femme livrée à elle-même – violentée par des soudards, engrossée par des vagabonds, réduite en esclavage par des malandrins, exploitée par de méchants maîtres. À ce mari providentiel, elle jurait assistance et obéissance, chauffait son lit, apaisait ses sens, et ce plaisir-là était bien le seul qui leur fût accordé, mais au risque de la vérole, qui rendait la volupté bien amère. Habités par l'idée de se reproduire au prix de tous les sacrifices – on comptait un mort-né pour deux enfants viables –, ils priaient le Ciel de leur accorder une descendance autant de fois que la nature le décidait. Une famille accueillait chaque nouveau membre non comme un cadeau mais comme une bête de somme qui bientôt produirait plus de blé qu'elle n'en coûterait.

*

Un jour, un homme qui se rendait en ville pour négocier le fruit de son braconnage croisa une femme qui s'aventurait en forêt pour y remplir son panier de baies. Rien ne les distinguait des autres, ni leur allure, ni leur rang, ni leurs manières. Ils n'affectaient aucune ambition notable, ne se prévalaient d'aucun talent particulier et rien ne les destinait à vivre une telle aventure. Dans les légendes, le destin aime s'annoncer d'un roulement de tambour et frapper d'un coup de cymbale, or rien, ce matin-là, n'avait présidé à la rencontre de cet homme et de cette femme, préoccupés par des pensées bien prosaïques : à quel prix allait-il vendre les deux lièvres pris dans ses collets ? Allait-elle retrouver ce coin riche en cassis et en airelles dont les châtelains sont friands ? Mais soudain, en apercevant au loin la silhouette de l'autre, leur sang se glace, leur pas vacille. Un vertige qui dure moins d'une minute, le temps pour eux de rompre avec le monde d'avant, car plus jamais pareille occasion de se débarrasser des fardeaux de l'esprit ne se représentera.

Solitude.

Il y a encore un instant tu m'imposais ta triste compagnie. T'échapper est illusoire, me disais-tu. Et quand bien même serais-je entouré de dix frères et de cent enfants, tu marcherais dans mes pas jusqu'au dernier. De nous deux désormais tu seras la plus seule.

Temps.

Toi qui m'oppresses depuis mon premier jour, toi qui me rappelles à chaque instant que tu m'octroies combien je suis mortel. Sache que dorénavant je serai lent quand tu voudras me hâter, et je ne perdrai plus mes heures à t'attendre quand je voudrai me hâter. J'ai depuis ce jour bien plus de temps que tu n'en auras jamais.

Fatalité.

Ma vie durant, je t'ai vue m'attendre au coin de chaque ruelle, je t'ai imaginée triomphante quand la maladie me prenait, j'ai redouté ton coup devant chaque homme en armes. Aujourd'hui je sais que tu n'es que rumeur. Va donc hanter les malheureux qui croient encore en toi, il y en a tant.

Moi.

Hier encore je ne me savais pas si encombré de ce petit locataire que j'abritais au fond de mon être et qui se pensait au centre de tout. Plus besoin de lui désormais pour me rappeler que j'existe.

Avenir.

Savoir de quoi demain serait fait me demandait un jour entier. Oh la sotte prudence. Il n'est d'urgent que l'instant qui s'annonce, car demain n'existe pas encore.

Ils n'avaient plus faim, ni peur.
Leur histoire pouvait commencer.

*

Dans un village de trois cents âmes, l'homme possédait une maison de pierre et chaume dotée d'une cheminée et d'un appentis à bois qui une fois plein le réchauffait tout un mois d'hiver. Ils s'y retirèrent sans que quiconque ne se doute de leur présence, et pour un temps qu'ils ne cessèrent de prolonger.

Au point que ses voisins s'inquiétèrent de l'absence du braconnier, que le village estimait pour son habileté à piéger les loups et les renards, dévastateurs pour le bétail, porteurs de maladies et dangereux pour les enfants. On le crut mort dans son sommeil ou abattu par un seigneur contrarié par sa présence sur ses terres. Afin d'en avoir le cœur net, un villageois venu toquer à sa porte entendit un râle plus proche de la volupté que de l'agonie. Vivant, le braconnier l'était bel et bien, et en bonne compagnie, aussi valait-il mieux le laisser en paix, et l'envier pour cette journée à venir.

Le lendemain on l'envia encore, mais moins le jour suivant car tant de discrétion agaçait la curiosité. S'agissait-il d'une courtisane ? D'une courtisane au talent considérable ? De deux courtisanes au talent considérable ? S'agissait-il seulement d'une femme ?

Les amants quittèrent un instant leur douce intimité pour relever des collets et cueillir des figues. Les ayant aperçus, un enfant en parla à sa mère, qui en parla à une voisine, qui en parla à son mari, et une rumeur se mit à courir : si le braconnier avait trouvé femme, qui était-elle pour qu'il la soustraie ainsi aux regards ?

À nouveau les esprits s'emballèrent, effet distrayant pour qui peinait sous l'effort. Une noble dame à l'âme de catin ? Un ange aux courbes de pécheresse ? Une créature exotique aux mœurs sauvages ? Une matrone contrefaite mais rouée ? Une nonne apostate ? Une inapaisable novice ? Une diablesse publique ? Si chacun avait avancé son hypothèse, il n'y en aurait pas eu deux semblables.

Pour en finir avec les conjectures, l'homme présenta sa compagne, une demoiselle comme une autre, ni sauvageonne ni cousue d'or, une honnête cueilleuse dont le seul secret consistait à ne pas divulguer ses coins riches en herbes rares.

Pour les voisins, l'affaire était entendue : une fois la frénésie des sens assouvie, une fois le charme de la rencontre estompé, les amants obéiraient eux aussi aux vicissitudes de l'existence. Au premier-né, ils auraient mis un terme aux roucoulades et quitté leur isolement pour vivre selon les règles et sous la protection de la communauté.

*

Or leurs sorties s'espacèrent de plus en plus. Les villageois, qui tous avaient connu la famine, s'interrogèrent sur l'incroyable tempérance de ces deux-là, comme s'ils gagnaient en force au fil des privations. Par ailleurs, était-il humainement possible de vivre comme des prisonniers, sans peine à purger ni geôliers pour contraindre ? Et pourquoi n'étaient-ils pas soumis à cette loi naturelle qui veut que toute activité pratiquée à l'excès, y compris les plus aimables, comme la compagnie galante, la conversation, la flânerie, engendrât nécessairement l'ennui ?

Tant de supputations échauffaient les consciences, et ce travail-là créait d'heureuses retombées. Les imaginations laissées en jachère par trop de misère se révélaient enfin foisonnantes de fruits délicieux comme amers, si bien que dans le hameau hommes et femmes menaient une vie secrète pleine de fantasmagories, de désirs inassouvis et de projets grandioses. Et peut-être posaient-ils là, à travers leurs divagations, les prémices d'une légende à venir. Comme un manque à combler, un besoin d'explorer une part obscure d'eux-mêmes, un souci collectif de répondre aux questionnements par des allégories et de donner aux inquiétudes des ressorts pittoresques. Au coucher, leurs délicates obsessions se transformaient en rêves et enfin ils pénétraient dans la maison des amants où s'entassaient leurs mystères ; des elfes et des faunes retenus par des chaînes, des oiseaux mythiques capturés dans des cages, des diablotins et des farfadets, une chèvre dont les pis donnaient de l'hydromel, des rayonnages de bocaux d'herbes magiques dont on tirait des élixirs de jouvence, des onguents de beauté éternelle et des potions maléfiques.

C'était précisément à cette heure-là que les amants se décidaient à sortir. Dans la forêt tout offerte, ils agissaient comme s'ils étaient les derniers à habiter la Terre, occupés à des affaires plus anodines que celles qui peuplaient les rêves alentour, mais impensables pour qui s'était consacré au braconnage ou à la cueillette. C'était comme s'ils avaient voulu, de nuit, réparer leurs activités du jour. Lui, si habile à piéger le gibier, tenait l'inventaire des espèces rares et tentait à sa manière de les préserver. Il apprenait à sa bien-aimée à discerner la hulotte du hibou des marais, à différencier l'empreinte du chevreuil de celle de la biche. Il lui arrivait aussi de délivrer d'un de ses propres pièges un spécimen trop jeune, comme ce marcassin qu'ils avaient soigné au lieu de s'en nourrir. Sa compagne, pour qui le geste de cueillir était aussi précieux que celui de s'en abstenir, avait invité son amoureux à assister à un spectacle qui ne se produisait qu'une fois l'an, l'éclosion d'une fleur de lune, blanche, aux feuilles pointues et au pistil rouge, si éphémère qu'elle fanait dès le lever du soleil. Il lui arrivait aussi de planter, comme cette graine de la grosseur d'une noix, échangée avec une consœur de retour du Sud, et qui donnerait un arbre palmier aux feuilles géantes et dentelées. Les amants s'amusaient à l'idée que dans un siècle on se demanderait comment cet arbre étrange avait poussé au milieu des chênes.

Les yeux imprégnés de lumière noire, ils s'en retournaient dans leur refuge à l'heure où les hommes quittaient leurs rêves de frénésie pour affronter l'éternelle sentence de l'aube.

*

Le dimanche, à la paroisse, les villageois étaient pris d'une sorte de perplexité dont ils ne parvenaient plus à se défaire durant l'office. Ils s'y rendaient par habitude et par crainte du péché, mais leurs pensées les entraînaient hors du lieu saint, comme si une autre ferveur que celle de la liturgie les remplissait désormais, et qu'il leur fallait obéir à de tout nouveaux commandements que personne n'avait encore édictés. Sur cette heure, nimbée depuis toujours d'un recueillement sacré, planait maintenant l'ombre du doute.

Afin d'en avoir le cœur net, on fit mander le curé du bourg qui, hormis pour une extrême-onction, se déplaçait peu. Quand il y était contraint, il en profitait pour tancer les mécréants qui désertaient son église, car doté d'une solide mémoire il reconnaissait d'un seul regard ses vrais fidèles et comptait tous les autres. Durant son éprouvant périple à travers bois, il prépara des anathèmes assez féroces pour marquer les esprits : il se savait attendu, ce jour-là ayant été décrété chômé par mesure exceptionnelle.

Devant la porte des amants, l'abbé, l'oreille dressée, n'entendit rien qui puisse étayer ses soupçons, et ce silence l'inquiéta plus que tout. Au plus léger frisson il aurait crié à la fornication, au moindre chuchotage il aurait supposé un complot, au premier rire il aurait décelé une présence démoniaque. Mais comment traduire ce silence-là sinon de la plus offensante manière ? Un village entier s'agitait, un homme d'Église avait traversé toute une forêt, pendant que ces deux effrontés… dormaient ?

À leur seuil, les amants découvrirent un homme en soutane qui piaffait, entouré de ses ouailles de fortune. Dans son sermon il était question de péchés capitaux et des risques encourus à s'y abandonner, mais aussi de loyauté envers son prochain, d'entraide et de partage, autant de valeurs régies par des lois, et la toute première, pour un couple aussi désinvolte, était le sacrement du mariage. Une fois leurs vœux prononcés, les amants pourraient en toute légitimité partager leur couche, et dès lors ils prendraient conscience de leurs droits et de leurs devoirs d'êtres humains.

À l'abbé ils affirmèrent n'avoir nulle intention de porter atteinte à une si noble institution, qui avait uni leurs parents et les parents de ceux-là. Si l'engagement de deux êtres et leur promesse de bonheur en passaient par là, il fallait à tout prix procéder à cette célébration.

Mais eux, en aucune manière, n'en ressentaient le besoin.

Le curé fut de loin le plus abattu. Plus encore que de vexation il s'agissait de tristesse. S'il lui arrivait, comme à tous les hommes de foi, de douter de certaines de ses bénédictions et du sens qu'on leur prêtait, jamais il n'avait douté de celle-là. Chaque fois qu'un couple s'unissait devant son autel, il éprouvait une vive sensation d'harmonie et d'achèvement, et c'était le seul office dont il s'acquittait avec facilité. Aujourd'hui, ces deux ingrats à qui l'on donnait une chance de confirmation osaient remettre en question ce lien sacré ? La compromission n'avait que trop duré, leur assentiment n'était nullement requis, il s'agissait même d'urgence. À moins d'encourir des sanctions qu'ils regretteraient longtemps, ils devaient se soumettre… avant la nuit.

Devant cet ultimatum, les amants voulurent s'épargner un combat perdu d'avance. Craignant que plus jamais on ne les laisse en paix, ils signifièrent à l'abbé qu'ils étaient prêts à le suivre.

Une clameur retentit. Ce jour chômé ne l'aurait pas été en vain, une noce allait être célébrée, et ils en seraient tous. On forma un équipage, voitures à cheval pour les femmes en charge de nouveau-nés, ânes pour les vieillards, on accrocha des gourdes de vin aux ceintures, on se para de colliers et de fichus, et un joyeux cortège se mit en marche avec à sa tête l'abbé et ses promis. À la gravité succédait la liesse, les deux égarés avaient obtempéré et, s'il fallait les convaincre tout à fait, l'exaltation de tous ne prouvait-elle pas le bien-fondé du mariage ? Les humbles, les manants, les paysans, les commerçants et les quelques notables qui maintenant cheminaient à travers bois voulaient de leurs oreilles entendre ces vœux comme jadis eux-mêmes les avaient prononcés – la durée du trajet fut même l'occasion pour ces hommes et ces femmes d'égrener tous les bons souvenirs de ce jour-là. Le cortège entrait maintenant dans le bourg, des curieux tentaient de s'y glisser car, pour réunir une telle assistance, et venue de si loin, à une heure si tardive, la cérémonie devait revêtir un caractère exceptionnel. Aucun monarque n'aurait pu se vanter d'avoir attiré tant de monde à son mariage, et aucune cérémonie, fût-elle préparée depuis des mois avec faste et banquet, n'avait déclenché tant d'allégresse. De quel rang étaient ces promis, si entourés, si fêtés ? Qui étaient-ils pour que le curé les accompagnât lui-même jusqu'à sa paroisse ? Les amants se virent cernés par une foule d'inconnus comme autant de parents, de frères, de cousins que jamais ils n'avaient eus, et ils se crurent un instant les derniers fruits d'une dynastie à l'arborescence touffue. Et cette toute nouvelle et puissante famille s'engouffrait dans la nef à l'assaut des meilleures places, remplissant les moindres recoins comme jamais auparavant, même un dimanche de Pâques. L'excitation générale et l'agrégat des corps produisaient une chaleur qui irradiait dans l'édifice du parterre jusqu'à sa flèche. La confusion était telle que les statues de Marie et de saint Jean semblaient égarées dans la cohue comme de simples dévots. Les moins chanceux s'entassèrent devant le portail, où un héraut de fortune, juché sur les épaules d'un acolyte, commentait ce qu'il distinguait de l'autel. Une fois le silence retrouvé, on demanda aux amants si l'un voulait de l'autre, si l'autre voulait de l'un, et le *oui* qu'on leur arracha leur parut bien impuissant à décrire ce que contenait déjà leur cœur : un royaume entier.

Un royaume bâti à deux, dès le premier jour, dont ils étaient les seuls suzerains et les seuls sujets. Avec un château fort doté de cent pièces qu'ils occupaient toutes. Et parfois, du haut d'un rempart, en se penchant pour apercevoir les confins de leur royaume, ils discernaient des silhouettes lointaines, repoussées derrière une invisible frontière. C'était ces mêmes gens qui, ce soir, se pressaient dans l'église.

Ainsi furent célébrées les noces du crépuscule.

Ça y est, le public est du côté des amoureux. Ne pas se tromper d'ennemi est le premier souci du spectateur. Le second consiste à se remémorer des épisodes similaires à ceux vécus par les personnages, et tous ici, au Chicago Theatre, pourraient en citer au moins un. Certes les circonstances étaient différentes mais, à y regarder de près, eux aussi ont connu des sentiments qui les dépassaient, eux aussi ont dû affronter la mauvaise foi et la jalousie ordinaires, eux aussi se sont défendus avec des arguments somme toute assez proches que ceux décrits par l'auteur : on peut saluer là l'intemporalité des grands textes et s'étonner que cette langue d'une autre époque fixe à ce point des émotions d'aujourd'hui. Le public, formé de groupes disparates, abonnés, étudiants, couples d'amis, clubs de séniors, ne fait plus qu'un. Il n'a ni sexe ni âge ni rang social ni origine ethnique. Il est *contre*. Contre ceux qui s'imaginent tout connaître des liens souterrains qui unissent deux êtres. Deux mille quatre cents spectateurs découvrent que la passion n'a pas de meilleure alliée que la comédie et qu'elle fait bien de se préserver des grandiloquences du drame. C'est le monde entier qui devient une farce, absurde et trop complexe pour tenter de s'en accommoder. Mais quelle joie de voir un couple d'innocents le faire tourner à l'envers une heure durant.

Deux mille quatre cents spectateurs moins deux. Dans leur loge les Français sont partagés entre l'envie de retourner vers leur Ford Capri tant qu'il en est encore temps, et celle d'alerter les personnages trop absorbés par leur bonheur, les sots : *Foutez le camp ! Vous voilà mariés mais ça ne suffira pas ! De nouvelles nuisances arrivent, et des coriaces !*

Trop tard. Le rideau se lève sur l'acte II. Tant pis pour eux.

Les jeunes mariés décidèrent de s'offrir une escapade, impromptue et tout à fait singulière : dans un monastère.

Durant de longs jours de marche à travers les campagnes et les bois, l'épouse inculqua à son mari les rudiments de l'art de la cueillette, lui chargeant les bras de sauge, d'armoise et de mille-pertuis, dont les moines savaient tirer des décoctions médicinales pour en faire commerce. Ainsi, ils n'eurent aucun mal à se voir ouvrir les portes du cloître afin de proposer aux hommes de bure un troc inédit mais tentant.

Les époux s'étaient mis en tête d'acquérir un bien rare, réservé à une poignée de hauts dignitaires mais interdit au peuple, et cet interdit qu'ils cherchaient à transgresser était d'apprendre à lire. Eux qu'on pensait incapables de toute discipline voulaient affronter cette difficulté à deux, comme si, en plus des corps et des cœurs, il leur fallait l'accord des esprits.

Un moine copiste, trouvant leur requête insensée et subversive, les déclara inaptes à pénétrer les secrets de la langue la plus érudite de toutes, le vrai français, et non leur épais patois déjà indéchiffrable pour le village voisin du leur. Quelle folie de surcroît, et surtout quelle sottise que de vouloir acquérir un savoir au risque de s'attirer quelque déconvenue si d'aucuns l'apprenaient.

Pour achever de les convaincre, il conduisit ses visiteurs jusqu'au scriptorium, où étaient conservés les manuscrits,afin de leur donner une idée du calvaire qu'ils allaient devoir gravir.

*

De retour chez eux, ils se consacrèrent à l'apprentissage de l'alphabet comme enseigné par le moine, avec le souci d'y mêler des intermèdes qu'un homme de dévotion aurait qualifiés de lascifs – ils préféraient au pupitre certaines cambrures de leurs corps, et voyaient en chacune des vingt-six lettres l'initiale d'un mot plutôt chuchoté dans les alcôves. Loin de se douter de ces ébats scolaires, les villageois ne se résignaient pas : le sacrement qui scellait désormais leur union leur avait donné une légitimité mais avait aussi, ô ironie, renforcé leur indifférence. Au plus fort de l'hiver, on les imaginait tous deux blottis devant un feu, repus de fèves et de châtaignes, bien occupés à moquer les malheureux qui s'agitaient au-dehors.

Cependant, si aucune loi morale n'avait su agir, il en existait une autre, bien plus intransigeante. Avec l'arrivée des beaux jours, l'heure de l'impôt sonnait, redoutée de tous, impécunieux et opulents, les charges étant nombreuses et réclamées avec sévérité. L'administrateur de la seigneurie locale et son collecteur, équipés de balances et de livres de comptes, furent reçus cette année-là avec bienveillance, car les habitants paraissaient bien moins préoccupés de payer leurs dettes que de voir les deux indolents s'acquitter des leurs. Et au lieu d'une triste procession on défila dans la bonhomie, tirant derrière soi qui un sac de grain, qui une bourse d'écus, comme une façon de payer sa place pour le spectacle à venir.

Les époux se présentèrent, sans le moindre sou, sans une once de farine ni rien qu'on pût saisir. Cependant le couple insolvable constituait un cas d'espèce, n'étant ni concerné par les taxes fixes des cultivateurs, ni redevable de loyers ou de prélèvements sur la récolte obtenue. Ils n'utilisaient ni les moulins, ni les fours et pressoirs mis à disposition par le seigneur. Nul droit d'afforage à payer puisqu'ils ne mettaient aucun tonneau en perce. Profitant des produits de la nature, ils étaient néanmoins assujettis à l'impôt de terrage, dont on pouvait s'acquitter par des corvées au service du maître du fief.

On leur fixa soixante jours de servage durant lesquels ils prirent le chemin du château, pour réapparaître le soir, fourbus et sales. Pendant qu'elle aidait aux récoltes ainsi qu'à l'office, lui était assigné au nettoyage des fosses ou rabattait le gibier quand le seigneur était d'humeur chasseresse. Et plus les jours passaient, moins cette astreinte leur semblait pénible. En côtoyant les nantis, vêtus de soieries et nourris grassement, ils louaient leur propre ascèse comme un bien unique que les puissants n'auraient jamais assez d'or pour s'offrir. En les voyant tromper leur ennui, avides de festivités, étourdis de musique et de danse, ils les plaignaient d'être si las, si oublieux d'être bien nés, si nostalgiques de ce qu'ils auraient pu devenir, si déçus de ne plus en avoir la force.

*

Peut-être, le temps aidant, les villageois auraient-ils été capables d'oubli si cette demeure n'avait suscité la curiosité des contrées voisines – comment aurait-il pu en être autrement puisqu'ils avaient eux-mêmes répandu tant de mauvaise publicité. Existaient-ils vraiment, ces reclus volontaires, ces subversifs pacifiques, ces impies en règle avec l'Église, ces rebelles qui payaient l'impôt, ces promeneurs de la nuit, ces indolents du jour ? Les plus insistants visiteurs, se jurant bien de percer ce mystère, étaient les médecins.

À les en croire, l'obstination de ces jeunes gens à vouloir vivre selon leurs propres lois n'était pas le signe d'un caprice mais d'une déficience du cerveau ou d'une malfaçon de l'anatomie – combien de bizarreries dues à une indisposition de l'organisme ? Oisiveté et refus de tout commerce avec autrui étaient sans doute la conséquence d'une sévère mélancolie, qui elle-même découlait d'une anomalie du cœur, des tripes ou de la rate, rien que l'on ne puisse guérir avec des potions et des onguents. Quoi d'étonnant à ce que cet homme et cette femme se soient ensemble détachés du monde comme des compagnons d'infortune frappés par le même mal ? N'était-il pas d'usage de voir des lépreux cheminer à deux sur le chemin de la souffrance afin de partager leur détresse ?

Un petit symposium d'hommes en noir exigea des amants qu'ils se prêtent à un examen au nom de la science et de tous les malades à venir qui subiraient les mêmes tourments. En cette époque d'épidémies, de morts inexpliquées, de douleurs inouïes, le grand livre de la médecine ne cessait de s'écrire mais laissait encore tant de pages blanches.

On les ausculta, on souleva leurs paupières, on leur imposa des génuflexions et des toussotements, on leur posa cent questions des plus anodines aux plus intimes. Seul un mal pernicieux pouvait se dissimuler derrière l'œil frais, la peau claire, le souffle puissant, les muscles vigoureux, et surtout, le terrible rayonnement intérieur qu'on lisait sur leur visage. Chacun des médecins voyant là l'opportunité de dépister un mal inconnu, et de se distinguer ainsi auprès de ses pairs, défendit son diagnostic avec fermeté. Il fut question d'une fièvre de la bile qui ronge la volonté, d'un abcès du cerveau qui crée la léthargie, d'une vérole inédite qui échauffe les passions, d'un organe corrompu qui favorise l'invasion des sens, d'une humeur chaude qui bloque les voies de la raison, d'une glande sans nom qui sécrète la langueur, d'une nouvelle gale qui prête à la démence. Une seule page du grand livre de la médecine à remplir, c'était bien peu pour tant de praticiens. Qui un à un se plaignirent d'aigreur et de remontées de fiel.

Les souffrants, eux, s'étaient retirés devant leur âtre. La médecine n'était pas la science qui les préoccupait cette nuit-là, car leur moine instructeur, devenu avec le temps un complice, leur avait confié – petit trésor nullement censé quitter l'enceinte du cloître – un traité d'astronomie aux nombreuses enluminures, qui décrivait avec précision la sphère céleste dans une langue riche en allégories. Devant le livre ouvert, les amants philosophaient à leur façon sur l'infinité de l'univers ; en des termes naïfs ils tentaient de cerner le sens de la vie terrestre mais, faute d'aboutir à des conclusions pertinentes, ils se contentèrent de mesurer leur chance de vivre cette aventure-là.

Au-dehors, les docteurs étaient tombés d'accord sur un point : il fallait d'urgence écorcher ces deux spécimens afin de savoir comment ils étaient faits à l'intérieur. En attendant de revenir avec les instruments adéquats, ils allaient alerter les populations sur les risques de contagion pour qui s'approcherait des pestiférés.

*

L'ire de la gent médicale propagea plus de curiosité encore, notamment chez les poètes, qui se sentirent investis d'une mission. Chargés de chanter la geste d'un valeureux chevalier, de distraire les têtes couronnées, d'instruire le bon peuple par des fables, leur exercice consistait à traduire les émotions humaines à l'humain lui-même, trop affligé de servitudes pour percevoir ces choses de l'âme. Visités par les muses, dotés de manières gracieuses, tournant le verbe avec élégance, ils se devaient de rendre lisibles les mœurs de leur prochain, là où les philosophes et les scientifiques, trop encombrés de raison, vidaient les passions de leur substance sublime. Réunis une nuit autour de la maison silencieuse, les ménestrels, troubadours et baladins se tinrent prêts à transcrire, la flûte ou la vielle à la main, un message inaudible pour les êtres ordinaires.

Devant un tel parterre de talents, les amants saisirent cette chance inouïe d'assister à un concert d'exception. L'heure de la sérénade étant déjà loin, s'annonçait celle de l'aubade, occasion unique de réveiller en musique les paysans à l'heure cruelle. *Messieurs, exaltez nos cœurs de vos notes, bouleversez-nous de vos chants, nous autres en sommes dignes autant que le roi de France.*

Mis en demeure d'émouvoir, les artistes se sentirent soudain dépossédés de toute inspiration. Mais la vraie raison de leur vexation était bien plus profonde : l'histoire des amants insolents n'avait nul besoin de leurs vers pour être embellie. Elle se passait de leur approbation et de leur posture lyrique.

Défiant alors les muses qui les avaient abandonnés, ils composèrent des poèmes vengeurs qui bafouaient leur vocation à célébrer le beau et le juste. Ils chantèrent l'horreur du printemps, la mesquinerie du soleil, la stupidité des étoiles, l'insignifiance du ciel, la médiocrité de la nature, la perversité de la biche et la fourberie de son faon. Et ils consacreraient le reste de leur carrière à chanter la ballade désastreuse des deux rustres qui une nuit durant avaient fait taire les bardes.

*

S'estimant les seuls à pouvoir déchiffrer le phénomène, les spécialistes de l'occulte se donnèrent rendez-vous là. Les cassandres côtoyaient les cabalistes, les magiciens les devins, les extralucides les nécromanciens, il en arrivait toujours plus, le grimoire ou l'amulette à la main. Mais aucun ne parvint, quelle que fût sa mystique et malgré ses incantations, à faire sortir les reclus de leur refuge.

Une explication à cela, inacceptable pour qui s'acharne à déployer ses talents de magie noire : à trente lieues de là, les amants assistaient à un spectacle autrement plus réjouissant.

Deux jours plus tôt avait couru le bruit qu'une roulotte de comédiens traversait la région. Rien n'avait été plus urgent que de la suivre. Pressés dans une cohue, ils applaudissaient une pantomime à cinq personnages, dont un couple de vieux bourgeois affublés de trois fils, retors et couards : bastonnade assurée et larmes de rire.

Sur le chemin du retour, ils rendirent grâce à cette poignée d'illuminés qui, en des temps immémoriaux, avaient inventé le théâtre. Étrange et belle trouvaille que de pousser deux hommes en place publique pour en faire rire cent, et il suffisait d'un masque, une contorsion, une réplique, pour provoquer la liesse. Ils se promirent de ne rien rater des prochains spectacles, quitte à marcher tout le jour durant, c'était bien peu cher payé pour le ravissement qu'ils en tiraient.

Loin de se douter que leur maison était le siège d'une bataille ésotérique, ils furent accueillis au petit matin par un aréopage de sorciers vexés d'avoir psalmodié en vain toute une nuit. On jeta des sorts, on brandit des talismans, on appela à des maléfices. Tant d'esprits furent invoqués à la fois que le hameau fut agité d'étranges vibrations et de remous telluriques.

Les amants regagnèrent leur couche, pris de compassion pour les pauvres hères qui provoquaient tout ce chahut, comédiens eux aussi mais peu inspirés. Nul besoin de savoir lire dans les boules de verre et les entrailles d'animaux pour comprendre ce désarroi : allaient-ils longtemps vivre, et si mal, de leur commerce occulte ? De quoi demain serait-il fait ?

*

La débâcle des médecins, des poètes et des sorciers donna aux amants une notoriété qui cheminait plus vite que tous les coursiers du pays. Tantôt on les voyait comme des perturbateurs prêts à lever une armée, tantôt comme des héros qui résistaient aux suzerains. Si bien que, dans les deux cas, les noblesses d'épée et de robe en furent alarmées. On dépêcha des émissaires pour décider si la privilégiature était en péril.

De leur côté, les amants furent témoins d'actes isolés dont les auteurs semblaient animés d'une généreuse intention, et non l'inverse comme on aurait pu le croire.

Un soir ils trouvèrent à leur porte un don anonyme, une miche de pain bien ronde, odorante, encore chaude, dont les reflets dorés brillaient dans la nuit. Eux qui depuis le début de leur retraite n'avaient jamais eu le premier sou pour s'offrir un pain, ni consacré une heure de leur temps pour s'en confectionner un, accomplirent alors un rite oublié, moins pour satisfaire leur faim que pour combler les cinq sens à la fois. Leur revinrent en mémoire l'éclat des champs de blé juste avant la moisson, le moelleux de la pâte pétrie, le miracle du levage, le rougeoiement des fours dès qu'en sortent les pains, parfumés, croquants, qui nourrissaient les hommes depuis la toute première civilisation. C'était le rappel de cette civilisation qui croustillait maintenant sous leurs doigts, et là était peut-être le message qu'une bonne âme du village leur avait destiné en déposant cette obole, les invitant, sans jugement, et de subtile façon, à revenir sur leur volonté de s'exclure.

Puis le benêt du village leur fit une étrange visite. Le garçon, doux et rieur, avait été adopté par les villageois qui lui confiaient des corvées de voirie en échange de son ordinaire. Mais ce jour-là son éternel sourire avait glissé de son visage, et lui qui parvenait habituellement à se fondre dans le décor – c'était là où résidait son intelligence – s'offrit en spectacle en s'agenouillant devant la porte des parias. Il joignit les mains en prière et resta ainsi des heures, les yeux embués, rivés au ciel, les lèvres agitées par une imprécation silencieuse. Tous prirent très au sérieux cette prostration, comme dictée par un impératif supérieur. Aux amants qui s'enquirent de son trouble, l'idiot murmura :

Cessez, pour l'amour de Dieu…

Bien malgré eux, ils avaient retiré à un être sa joyeuse innocence, et c'était bien ce malheur-là qui les fit douter de leurs convictions. Son *Cessez pour l'amour de Dieu* n'était-il pas un nouveau signe, et le tout dernier, qu'on leur envoyait ? Sans doute auraient-ils dû prendre au sérieux le message contenu dans cette miche déposée comme une offrande, au lieu de se réjouir si vite du pain de la réconciliation.

L'heure n'était plus aux justifications, une seule décision s'imposait afin de ramener la paix là où, malgré eux, ils avaient semé la confusion. Avant qu'on ne les y contraigne ils allaient prendre le chemin de l'exil.

Exil. Le mot lui-même les plongea dans une profonde mélancolie. Quel être au monde est préparé à quitter la terre qui l'a vu naître ? Tous deux avaient appris à marcher sur ce sol, ils avaient grandi dans cette nature, ils savaient anticiper les saisons, prévoir les pluies, au point de devenir ce braconnier savant et cette glaneuse aux paniers pleins. Cette lumière était la leur, ils en connaissaient chaque reflet. Ces ténèbres leur appartenaient, ils s'y dirigeaient sans flambeau. Ils parlaient la langue de leurs ancêtres et aucune autre n'aurait su avec une telle précision traduire leurs états d'âme. Ils étaient si fiers de leur contrée qu'ils auraient pu vanter à un étranger de passage le bonheur d'y être né.

Ils s'en voulaient d'avoir suscité griefs et malentendus, d'avoir vécu à contresens, d'avoir prolongé leur état de pâmoison, de s'être instruits, d'avoir cueilli au lieu de planter. Et pourtant, ils n'avaient eu nulle intention de contredire le sens commun. Avec le temps, ils auraient respecté les mœurs de leurs prochains, accepté leur lot de servitudes quotidiennes, fondé une famille et prospéré. À leur tour ils auraient connu ce sentiment d'appartenance à une communauté – dont un jour, qui sait, ils seraient devenus les sages. Sans doute auraient-ils aimé cette vie-là, dans cette maison qui jusqu'alors leur semblait enracinée dans le ventre de la terre.

Ils décidèrent de la quitter sans la fermer, comme s'ils partaient en promenade, le lit défait et l'âtre encore chaud. Consumés de nostalgie, dans cet état si particulier où rien n'a changé mais où tout manque déjà, ils passèrent leurs vêtements les plus chauds, burent le reste de leur eau, étouffèrent sous la cendre les dernières braises. Mais peu à peu une conviction les gagnait et apaisait leur chagrin : aucun bien n'était assez précieux pour qu'ils désirent le posséder – c'était là le sens profond de cette nouvelle épreuve. Les mains vides, voilà comment ils quitteraient le hameau, mais riches d'une certitude : ils étaient deux. Le cœur gros à l'idée de fuir, ils l'avaient presque oublié. Être deux, c'était une civilisation, une armée. En comparaison, l'attachement à une demeure ou à un pays leur semblait illusoire.

Soudain, l'exil ne leur faisait plus peur. Au contraire, il devenait une promesse. Quelque part, à trois lieues de là ou aux antipodes, une place les attendait, au bord d'un fleuve ou perchée sur une montagne, hors de portée de tout jugement. Il était impossible, dans ce monde qu'on disait si vaste, que ce lieu n'existât pas. Bientôt il s'imposerait à eux comme une évidence.

Ils dirent adieu à cette maison en espérant qu'un jour elle abrite à nouveau des êtres qui l'aimeraient comme eux l'avaient aimée. Puis ils franchirent le seuil.

Dans la lumière orangée de l'aurore, un rassemblement les attendait.

Les familles du village ne constituaient qu'une faible part de ce public silencieux. Les seigneurs du château avaient fait le déplacement à cheval, accompagnés de leurs serviteurs et palefreniers. S'y ajoutaient des prélats, dont deux évêques et leurs diacres. On comptait aussi un bailli et son contingent d'administrateurs. Et à perte de vue, une garnison d'hommes en armes, prêts à assiéger la place.

Un spectateur, de ceux qui aiment tant communiquer leur enthousiasme, ponctuant les répliques de *ah!* et de *oh!*, donne des coups de coude à sa femme. Il aimerait que leurs rires se répondent car jamais comme au spectacle ils ne retrouvent leur complicité d'antan, qui s'estompe dès le retour en voiture. Mais ce soir elle semble avoir perdu tout intérêt pour la pièce, elle regarde fixement un couple dans une loge de prestige éclairée par les rampes latérales. Des invités de marque, connus à coup sûr, elle jurerait de les avoir vus récemment à la télévision. Ils sont mariés à n'en pas douter, elle a un sixième sens pour ça, elle perçoit les signes : amoureux ou pas, toujours dans le désir ou non, tendres, haineux ou résignés, elle sait où en sont les couples au premier coup d'œil. Soudain elle est prise d'une intuition mais n'ose y croire, ce serait trop beau ! C'est elle maintenant qui donne des coups de coude à son mari.

Loin de se savoir épiée, la Française lit dans le programme une note sur Charles Knight, auteur d'une vingtaine de pièces dont *Les mariés malgré eux*, considérée comme son unique chef-d'œuvre. Et de fait, il s'est surpassé en ce début de troisième acte, aux incises lyriques constantes, aux répliques qui toutes résonnent comme des épitaphes quand le sort des amants est scellé. La rupture de ton s'est faite sans douleur, le public ne s'est aperçu de rien, là est le véritable tour de force d'un dramaturge qui n'a pas eu peur de casser la comédie pour jouer sur des notes plus graves, nuancées d'une sorte de fantaisie noire, délicate comme une dentelle de veuve. Vexés par l'insubordination des amants, les fâcheux s'en sont allés, mais déjà une ombre morbide et souveraine plane sur la scène. L'insolence s'efface par pudeur, l'heure n'est plus à la farce : on se meurt.

Debout dans la carriole, les mains agrippées aux barreaux de leur cage, ils traversaient les villages sous les huées de la foule pendant qu'un esprit malin leur soufflait à l'oreille : *Ah vous vouliez que rien ne vous sépare ? Eh bien vous voici enchaînés l'un à l'autre, voyez comme la justice est bien faite.* On eût dit cependant que les plus scrutateurs étaient les prisonniers.

Dans un donjon, des hommes en habit de justice les attendaient avec impatience, le caractère inédit de l'affaire les ayant précédés. On les fit patienter dans un office où un préposé, sans rien leur demander sinon de décliner leur état civil, donna acte de leur présence dans un registre. À la nuit tombée arriva le moment que tous deux redoutaient ; après avoir été traînés dans un dédale de murailles, on leur passa les fers puis on les jeta dans des cachots mitoyens.

Celui du mari était déjà pourvu d'un locataire, allongé contre un tas de paille. Détenu de longue date, il attendait que la justice statue sur son sort, mais, fort occupée par ailleurs, celle-ci l'oubliait et prolongeait d'autant sa peine avant même que de le condamner. Il demanda au nouveau venu quel crime il avait commis pour se voir logé dans ce sinistre décor. Le mari répondit qu'il n'en avait aucune idée, mais que cette confrontation avec la justice lui tardait afin d'établir sa bonne foi.

Encore un innocent! ricana son compagnon de cellule qui en avait vu défiler bien d'autres. Lui se déclarait coupable et fier de l'être; on l'accusait d'être un voleur et l'on avait raison, et pas seulement un voleur de poules, mais un monte-en-l'air à l'agilité redoutable. On lui prêtait à juste titre des talents exceptionnels, comme de mettre à sac des maisons bourgeoises, de piller à lui seul des rues commerçantes ou de détrousser des princes nichés dans leurs fortifications. Rien de moins.

Son codétenu, après avoir écouté les grands épisodes de sa carrière, lui demanda: *Un génie de la rapine tel que toi peut-il me débarrasser de mes chaînes, subtiliser la clé du gardien ou me faire franchir ce mur qui me sépare de ma bien-aimée? As-tu le pouvoir de nous réunir par-delà les serrures, les portes et les barreaux? Non? Alors ce n'est pas pour brigandage que tu seras jugé ici mais pour forfanterie, un bien pire crime puisque fort inutile.*

Dans la cellule adjacente s'échangeaient d'autres confidences. La toute récente prisonnière faisait la connaissance d'une femme prostrée contre la pierre, les traits usés par les pleurs. Autrefois elle avait été une belle paysanne, sans doute trop fière car elle avait repoussé les assauts de nobliaux qui tous avaient tenté leur chance. Le plus vexé d'entre eux l'avait accusée de sorcellerie et fabriqué des preuves, payé des faux témoins, jusqu'à s'offrir les services d'un exorciste qui l'avait tant harcelée qu'elle avait imploré sa pitié, se déclarant ainsi coupable. Le bûcher lui avait été épargné, mais pas le cachot.

Sa compagne d'infortune la prit dans ses bras, la berça de paroles consolantes et se désola de l'injustice qui frappait une honnête femme, laquelle s'en étonna presque : *Tu es la première à ne pas douter de mon récit, et mon cœur se remplit de gratitude. Mais comment peux-tu être si sûre de ma bonne foi, à l'inverse de tous ceux qui m'auraient volontiers jetée dans un brasier sans la plus petite preuve ?* Elle s'entendit répondre : *Parce que si tu possédais les pouvoirs maléfiques que l'on te prête, tu aurais déjà jeté des sorts à nos geôliers pour les rendre fous, tu aurais ouvert des portes invisibles dans les murs et, à l'heure qu'il est, je serais dans les bras du seul être au monde qui me ferait vénérer la pire sorcellerie pourvu qu'elle nous réunisse.*

Blottis contre le mur qui les séparait, les amants se parlaient sans s'entendre. Résignés à l'idée d'être enfermés avec des aliénés, leurs codétenus finirent par s'endormir.

*

Un vaste public se pressait aux portes du prétoire, excité comme s'il se fût agi d'un tournoi. On nota la présence d'un peintre, la mine à la main, s'apprêtant à croquer les amants dont la notoriété méritait selon lui une illustration. Mais aussi celle d'un secrétaire qui déroulait un parchemin encore vierge où il allait inscrire le procès-verbal. Un homme dépêché par la cour se présenta aux inculpés comme leur avocat et tenta de les rassurer sur sa grande expérience des cas difficiles. Il cita quelques-unes de ses réussites ayant secoué la magistrature et mis à jour les textes de loi. Entre autres, l'affaire d'une brute sanguinaire surnommée le Loup du Nord, dont le macabre tableau de chasse avait endeuillé près de vingt familles, et qui aujourd'hui prospérait au grand jour dans le délicat commerce des étoffes. L'homme de robe avait par ailleurs défendu un couple de voleurs d'enfants en osant les décrire comme des bienfaiteurs qui agissaient dans l'intérêt des chers bambins, maltraités par d'odieux géniteurs. Il ajouta cependant que, s'il avait su trouver les mots pour obtenir la grâce de scélérats voués à l'échafaud, il se trouvait bien dépourvu de tout argument pour plaider aujourd'hui une cause perdue d'avance.

Rien de plus facile que de faire passer un bourreau pour une victime et une victime pour un bourreau, mais comment défendre la dangereuse logique à laquelle obéissaient ses nouveaux clients ? Qui avaient pourfendu à eux seuls des institutions séculaires et bafoué des lois morales léguées par nos ancêtres afin de lutter contre le chaos originel. Était-il possible d'absoudre un délit d'une telle ambition ? Comme les débats commençaient, il se hâta de rappeler que le criminel, une fois pris, devait abandonner toute forme d'arrogance s'il voulait éviter une inéluctable sentence.

Cette inéluctable sentence leur paraissait moins inquiétante que le mot arrogance dans la bouche de leur défenseur.

*

Parmi les témoins chargés d'instruire la cour, le tout dernier fut décisif. Un fermier ayant surpris l'accusé pendant qu'il arrachait une plume à une de ses oies l'avait sommé de s'en expliquer. Celui-ci s'était alors contenté de répondre : *Parce qu'il est moins ardu d'arracher une plume à une oie qu'à un coq de bruyère ou à un corbeau.*

Ce vol d'une plume d'oie ne se serait jamais produit sans l'apprentissage de la lecture, confessa-t-il au sein de cette cour. Après qu'un moine précepteur leur avait enseigné l'alphabet, sa femme et lui s'étaient mis en tête, comme prolongement naturel à ce nouveau savoir, d'apprendre à écrire. Des mois durant ils s'étaient entraînés à la calligraphie en traçant du doigt des mots dans la suie ou en les gravant à la pointe du couteau dans un tronc d'arbre, avant de s'attaquer à la noble écriture sur papier, qui nécessitait d'autres étapes, dont la visite au parcheminier, la cueillette de noix de galle pour fabriquer l'encre, l'initiation au taillage de la plume en forme de bec pour obtenir pleins et déliés. Encore fallait-il trouver la plume en question, d'où cette regrettable empoignade chez le fermier, s'excusa-t-il.

Lire ! Écrire ! De mémoire de magistrat, jamais on n'avait connu vilain sachant lire et encore moins écrire. Là était peut-être la clé de toutes leurs bizarreries : pourquoi se donner tant de peine à acquérir un savoir précieusement gardé dans les monastères, sinon pour un usage pernicieux ?

La prévenue affirma que ni elle ni son mari n'auraient été capables de tourner un libelle ou un pamphlet et, si étrange que cela parût, ils avaient consacré une année complète à l'apprentissage de l'écriture sans la moindre application en vue. Si le temps ne leur avait pas été compté, sans doute auraient-ils trouvé la vraie raison de cette instruction, qui certes leur avait coûté beaucoup d'efforts, mais qui leur avait apporté autant de satisfactions. Ils se sentaient désormais moins vulnérables, plus indépendants qu'ils ne l'étaient déjà, héritiers d'un bien qui bientôt serait partagé par tous afin de conserver la mémoire de l'espèce humaine. La preuve, ajouta-t-elle en pointant l'agent chargé de dresser le procès-verbal : on consignait leurs fautes dans un registre pour l'édification des générations futures…

Un évêque proposa une approche pragmatique de l'affaire en cours. Il suffisait selon lui de se rendre coupable d'un seul péché capital pour encourir les foudres divines et, si l'on en jugeait par les témoignages entendus, on pouvait établir de manière formelle que les prévenus avaient commis le péché d'Orgueil pour avoir obéi à leurs seules convictions sans la moindre humilité. En conséquence, ils avaient commis le péché de

Gourmandise dans son sens premier, celui de la démesure et de l'aveuglement. En proie à leur perpétuelle lascivité, ils avaient élevé la Luxure au rang de dogme en y consacrant le plus clair de leur temps, et dresser la liste de leurs pratiques perverses aurait été outrageant pour la cour. En outre ils s'étaient éloignés de la prière, de tout devoir spirituel, et s'étaient dispensés de toute servitude, chérissant leur oisiveté comme un trésor, à tel point que le péché de Paresse semblait avoir trouvé là son acmé. On dénombrait donc quatre des péchés capitaux, à savoir trois de plus qu'il n'en fallait pour les condamner.

L'avocat des amants qui s'était tu jusque-là se fit un devoir de justifier son exercice et sa réputation. Que reprochait-on le plus à ses clients? D'avoir commis les péchés en question? Ou bien d'en avoir suscité deux autres autour d'eux? Car depuis l'ouverture des débats, il n'entendait gronder que l'Envie et la Colère.

Furieux, l'évêque se dressa pour faire cesser toute controverse: les prévenus avaient commis le péché des péchés en défiant Dieu au lieu de le célébrer! Trop de plaies pouvaient s'abattre sur le monde tant que cet affront au Très-Haut ne serait pas effacé!

L'avocat n'eut pas le temps d'empêcher son client de répondre: *C'est une fort belle chose que d'honorer Dieu, mais c'est lui rendre un parfait hommage que de chérir une de ses créatures plus encore que Lui-même.*

Le verdict ne faisant aucun doute, l'avocat saisit

une dernière occasion d'obtenir un geste clément. Coupables, ses clients l'étaient certes... s'ils se côtoyaient. Pris individuellement, n'avaient-ils pas mené avant de se rencontrer des existences paisibles dans le respect de la sainte Église et de leurs prochains ? Ensemble ils étaient victimes d'une terrible émulation qui leur faisait perdre tout sens commun. Il les compara à deux plantes médicinales qui, une fois mélangées, donnaient le pire poison. Qu'on les sépare, mais qu'on les épargne.

Et peut-être aurait-il eu gain de cause si sa cliente n'avait cru bon de le désavouer. Certes il avait raison sur un point, jadis elle avait été une jeune femme ordinaire, déjà indifférente à cette existence qu'elle s'apprêtait à endurer. Mais le hasard ou son contraire avait mis sur sa route un être irrésistible, et dès lors elle avait compris pourquoi elle avait été mise au monde. Si elle avait un dernier vœu à former, c'était de voir tous les hommes et toutes les femmes présents ici frappés par la même révélation. Quel que soit le verdict qu'ils allaient prononcer, elle suppliait ses juges de ne pas la séparer de son mari.

Pour accéder à sa requête, on les condamna à être brûlés vifs à l'aube.

*

Avant même la première lueur, on vint les tirer du cachot et ils s'en étonnèrent – ceux qui la veille se réjouissaient d'assister à leur exécution dormaient encore à poings fermés, et le bois destiné à leur bûcher était encore humide de rosée. On leur ordonna de revêtir des capes qui les enrobèrent entièrement, puis on les fit passer par des couloirs dérobés pour déboucher dans une cour à peine éclairée d'un flambeau, où une voiture les attendait, toute de cuir et de fer forgé, tirée par quatre chevaux.

Ils voyagèrent ainsi, prisonniers du véhicule et protégés des regards extérieurs. Surpris de ce revirement, ils restèrent muets une heure durant, une heure de grand galop dans le jour qui perçait aux contours de la portière. Tout en imaginant d'invraisemblables hypothèses dont aucune n'aboutissait à une fin heureuse, ils traversèrent des villes bruyantes où, au hasard des rues, leur parvinrent des dialectes dont ils ne tirèrent aucune indication. Enfin la voiture pénétra dans une enceinte qui résonna du bruit des sabots sur le pavé.

Il s'agissait d'une forteresse à l'envergure démesurée, dont la cour, où s'agitaient palefreniers et artisans du corps militaire, abritait une garnison entière. On escorta les prisonniers non pas dans un cachot mais dans une chambre où des valets s'employèrent à les débarrasser de leur crasse et de leurs guenilles pour les habiller de vêtements neufs. Puis on les reçut dans les cuisines où était dressé un copieux repas composé de volaille en sauce, de pain d'orge, de fromage et de fruits. Ils se surprirent à apprécier les étoffes fines et les mets élaborés, quand l'un d'eux se rappela soudain qu'ils étaient condamnés à mort, et que, de tous les récits sur ce dernier et funeste voyage, aucun ne ressemblait à celui qu'ils vivaient là, dans ce château digne des féeries.

Enfin on vint les entretenir de la prestation à laquelle ils allaient se soumettre – c'est là qu'ils prirent peur, car si tout homme s'attend un jour à rencontrer la mort, jamais il n'est préparé à ce rendez-vous exceptionnel auquel même les âmes bien nées ne sauraient prétendre. Ils se sentirent soudain mal à l'aise dans des vêtements qui n'étaient pas les leurs, et bien lourds après un repas trop riche pour eux.

Après avoir longé un couloir aveugle, ils arrivèrent dans une salle peuplée d'une cour de gentilshommes et de dames richement parés qui les dévisageaient comme des curiosités – à voix basse, l'un d'eux évoquait un jour tout comparable à celui-ci où ils avaient reçu au château la visite d'un animal monstrueux avec une longue corne en place du nez, capturé en terre lointaine. Toute cette belle société se tut soudain quand un héraut clama au son des trompettes : *Sa Majesté le Roi !* Comme on le leur avait indiqué, les prisonniers, un genou à terre, baissèrent les yeux tant que le souverain ne fut pas installé sur son trône.

Il les découvrait enfin, ces rebelles dont la ténébreuse réputation avait atteint le cœur du royaume, ces fauteurs de trouble qui avaient affolé les garants de la foi et de la science. Il leur chercha en vain une singularité physique, une expression dénaturée, il ne voyait là que des rustres dans des chemises brodées, de ceux qu'il gouvernait par millions, de ceux qui naissaient, vivaient et mouraient sans jamais faire parler d'eux. Il leur demanda s'ils goûtaient à la joie de surseoir à la mort ne serait-ce qu'un jour, et si ces quelques heures volées à l'irrémédiable avaient suscité en eux des sentiments nouveaux, d'espoir ou de regret. Lui-même, qu'on disait en sursis, se sentait incapable de sagesse et d'apaisement. Au contraire, il devait d'être encore en vie à la rage froide qui à chaque réveil le faisait hurler de douleur en dedans.

Osant lever les yeux vers lui, les prisonniers virent une ombre verte sur son visage, des cernes noirs, des joues crevassées. Affreux spectacle de la splendeur qui se flétrit, de l'éminence qui chancelle. Si un souverain est en droit de tout exiger de ses sujets, ses sujets sont en droit d'exiger qu'il affronte la mort avec majesté, c'est là son seul devoir. Qu'il soit aimé ou honni, habile aux affaires de l'État ou piètre gouvernant, seule sa façon de mourir dira s'il avait l'étoffe d'un roi – l'Histoire est là, dans l'antichambre, qui veille. Louis le Vertueux, recroquevillé dans sa cape de fourrure aux coutures dorées, ne savait pas mourir.

Alors comment expliquer que ces deux vilains-là puissent défier la mort comme hier ils avaient défié la justice ? Aucune expertise n'avait su expliquer leur mystère, aucune loi ne les avait fait plier, aucune menace n'était parvenue à les désunir. Le roi, sensible aux rumeurs, avait voulu en avoir le cœur net malgré le scepticisme de ses conseillers. Ce rayonnement existait bel et bien, il suffisait de les voir côte à côte pour ne plus en douter et, quelle que fût son origine, divine ou démoniaque, il avait sans doute le pouvoir de guérir. Si les prisonniers daignaient faire l'aumône à leur suzerain d'un seul éclat de cette lumière-là, peut-être un miracle pourrait-il s'accomplir ?

Un ministre, parchemin en main, lut un acte qui garantissait aux condamnés leur grâce, les dotant de surcroît d'une belle fortune et d'une propriété où plus personne ne viendrait leur chercher querelle. Le roi signa le document, que l'on fit circuler dans l'assistance pour que tous en prennent connaissance.

Condamnés il y a encore une heure, désormais grands du royaume.

Ce refuge dont ils avaient rêvé avait été trouvé pour eux.

Pris d'une même impulsion, ils s'approchèrent pour saisir chacun une main du roi dans la leur. Cette étreinte de deux paumes contre les siennes lui réchauffa le corps entier et apaisa un instant tout son être. Ces mains ne mentaient pas, elles n'éprouvaient aucune impatience à le fuir, elles irradiaient de fraternité, elles le soutenaient, prodigues, ferventes. À cet instant-là le roi comprit que ses proches lui mentaient depuis le premier jour.

La main de mon propre frère, froide de détachement, semble plus morte encore que la mienne. Celle de mon médecin ne cherche qu'à attester la cessation de mon pouls. Celle de mon confesseur sur mon front signe déjà l'extrême-onction.

À tous les travers de l'âme humaine auxquels la mort l'avait confronté, le roi devait maintenant ajouter la trahison. Et la cour entière commença à craindre pour ses privilèges.

Ayant gagné la confiance et la gratitude du roi, les amants auraient pu sauver leur tête par un pieux mensonge : n'est-ce pas un devoir de miséricorde que de mentir à un mourant ? Pourquoi ne pas prendre exemple sur ses ministres, ses médecins, ses cardinaux, dont le seul talent consistait à dire au malade ce qu'il voulait entendre ? Tous trouvaient tantôt une explication au mal, tantôt un moyen de s'en défaire – un nouvel onguent, une ancestrale prière, un obscur guérisseur requis dans une contrée barbare, une pierre de jouvence –, et dans l'attente du miracle le souffrant leur accordait un crédit, juste le temps suffisant pour qu'un autre intrigant suscite un nouvel et vain espoir. Car chacun attendait ce jour où le roi serait trop faible pour être craint, trop démuni pour deviner les supercheries, alors on pourrait exprimer sa joie de le voir crever dans la douleur.

Les amants, ne connaissant rien de ces stratégies, avouèrent n'avoir aucun des pouvoirs qu'on leur prêtait. Seule leur force de compassion était infinie, mais bien insuffisante. Ils demandèrent pardon pour l'espoir qu'ils avaient fait naître malgré eux car, s'ils avaient détenu pareil don, ils auraient laissé venir à eux les malades, guéri les lépreux, apaisé les agonisants. Et peut-être auraient-ils vu là le dessein suprême qui les avait réunis dans ce monde. Hélas, ils n'étaient que de simples humains, ni magiques ni surnaturels, et leur seule ressource était de prier pour leur souverain jusqu'à son rétablissement.

Le roi comprit alors que plus rien ne viendrait le sauver de cette mort annoncée. Sa noble cour s'indigna pour lui. Ainsi, tous les maux dont on chargeait les prisonniers étaient justes : désinvolture, égoïsme, impiété, au point d'humilier un roi à l'agonie. Ils allaient sans doute commettre d'autres ignominies si l'on reculait encore la juste sentence déjà prononcée.

*

Le roi fit preuve de mansuétude en leur accordant la décapitation par l'épée au lieu du bûcher dévolu aux hérétiques. Une autre mesure extraordinaire fut appliquée à la requête des condamnés : ils périraient au même instant. On dressa deux billots et deux bourreaux furent dépêchés. En fait de mansuétude il s'agissait de superstition. Si rien n'avait su créer la peur en eux, il valait mieux, en toute prudence, leur accorder une dernière faveur.

On dut surélever la plateforme d'exécution afin que tous en profitent. Des aubergistes dressèrent des tables et des troubadours chantèrent la triste complainte des amants arrogants.

Toisant la foule, les prisonniers goûtèrent une dernière fois à la terrible ironie de se voir si entourés. Ils lurent dans ces milliers de regards autant de fureur que de compassion, et ce serait la dernière image qu'ils garderaient de cette humanité dont on les excluait. Au lieu d'un terrible effroi, un sentiment de gratitude les apaisait enfin. La vie, cette épreuve que traversait l'homme sans la moindre chance d'en triompher, leur faisait un don inestimable, celui de mourir en ayant connu plénitude et ferveur. Au lieu de les abandonner aux guerres, aux épidémies, elle avait fait d'eux ses élus en leur donnant à vivre une aventure encore inédite – que longtemps après leur disparition il faudrait bien appeler le bonheur. Certes leur union avait duré le temps d'un souffle mais, à en croire la liste infinie des agissements et des fantaisies dressée par leurs accusateurs, ils avaient vécu plus de cent ans. Avec leur habituel aplomb ils attendaient la mort, curieux même de la rencontrer, et peut-être de la plaindre car, si elle ressemblait vraiment à la manière dont on la représentait, errante, avec sa faux, elle devait être bien seule et bien amère.

Ils s'agenouillèrent et posèrent la tête sur un billot. Les bourreaux tranchèrent au même instant.

Le silence qui suivit fut d'une qualité exceptionnelle – quoi de plus pur que le silence de dix mille témoins muets. Ceux qui avaient tant redouté les catastrophes et les malédictions si on laissait vivre les irréductibles craignirent que ces catastrophes et ces malédictions ne s'abattent maintenant sur Terre.

My own brother's hand, coldly distant, is yet more dead than mine.
My Physician's hand waits but to feel the stopping of my pulse.
My Confessor's already rubs extreme unction upon my brow.

Le fameux « monologue des mains ». Le roi comprend que son entourage n'a aucune pitié pour lui quand seules des mains inconnues parviennent à réchauffer les siennes, et cet instant de réconfort suscite un fol espoir dans le cœur du mourant qui s'en prend à ceux-là mêmes qui l'ont fait naître. Ils en meurent en fin de l'acte III. Et le public s'en fiche. Qui s'intéresse à des râles d'agonie sur scène quand on a des hors-la-loi dans la salle ? Des téléphones portables scintillent dans les rangées, on affiche les photos anthropométriques vues et revues sur CNN : il s'agit bien de ce couple recherché par la police fédérale. On se repasse la vidéo d'une caméra de surveillance où tout le personnel d'un musée tente d'échapper à la rage de deux ombres hurlantes. Des coups de feu ont été tirés mais aucune victime n'est à déplorer. On a écarté l'hypothèse de l'attentat mais les circonstances de cette agression restent floues. Leur violence leur a valu un premier mandat d'arrêt en France, on dit qu'ils ont véritablement taillé en pièces des gendarmes chargés de les transférer.

Là-haut ils ne se doutent de rien car l'émoi qui bruisse dans la salle est couvert par le cataclysme qui se déploie sur scène. Le tonitruant acte IV se prend soudain pour un opéra. Les amants morts s'en vont au Ciel.

À la création de la pièce un acteur apparaissait précédé d'un crescendo de harpe, portant une barbe en laine et une toge retenue par une ficelle. C'était Dieu, incarné par le même comédien qui jouait le médecin de l'acte II et le roi de l'acte III. Ce Dieu-là inspirait la sympathie plutôt que la crainte, on avait affaire à une brave personne un peu chahutée, malgré son verbe martial. Aujourd'hui le metteur en scène n'a pas pris le risque de confier le rôle à un être de chair et d'os, il s'en est remis à la technologie. Dieu est désormais un spectacle total. Dieu est son et lumière, il est électronique et symphonique, Dieu est une effervescence vidéo, un déluge d'effets spéciaux. Un Dieu habilement œcuménique, tout le monde peut y reconnaître le sien. C'est Lui que l'on imagine quand on prie, c'est Lui que les athées se représentent quand ils en nient l'idée même.

Les deux Français en fuite se laissent tenter par cette vision de l'au-delà. Pour ne pas l'être, il faudrait en revenir soi-même.

Le lieu foisonnait d'âmes délivrées de leur dépouille terrestre, qui attendaient de connaître leur sort éternel.

Bien qu'ils ne fussent plus des êtres de chair, les amants se retrouvèrent sans nul besoin de se chercher, car ils étaient en tout point les mêmes que dans leur vie passée, porteurs des mêmes doutes, mus par les mêmes certitudes. Au seuil du mystère des mystères, ils ne se posaient aucune question, ne se rongeaient d'aucune angoisse, et toutes les damnations dont on les avait menacés de leur vivant n'avaient plus de sens.

*

Enfin, une voix, sans apparence, sans visage, qu'ils reconnurent sans jamais l'avoir entendue, leur adressa un message. Terrifiant de colère et de légitimité.

Le Verbe fondateur grondait, furieux d'éloquence.

Les amants s'étaient consacrés l'un à l'autre sans chérir Dieu, sans Le remercier de les avoir réunis. Ils n'avaient pas même souhaité son sacrement mais s'y étaient soumis, contraints. Pas une seule fois ils ne s'étaient demandé si leur bonheur obéissait à un dessein divin, si vaste que leurs petits esprits humains auraient été incapables de le concevoir, un dessein dont ils n'auraient été que les simples messagers. Ce bonheur, ils s'étaient contentés de le vivre, impatiemment et égoïstement, sans s'interroger sur le mystère de leur couple – qui resterait entier pour qui se souviendrait d'eux sur Terre.

Plutôt que de l'effroi, les amants éprouvèrent une immense tristesse. La vindicte du Tout-Puissant se mêlait de déception. Il leur en voulait non d'avoir bafoué la morale des hommes mais de leur terrible ingratitude.

*

Cependant ils n'avaient ni porté atteinte à la vie d'autrui, ni volé, ni perpétré aucun crime connu. De surcroît, ils avaient payé de leur trop courte vie leur odieuse complaisance envers eux-mêmes, et Dieu s'en était finalement ému.

Dès lors, Il les accueillit en Son sein, faisant d'eux à jamais des élus. Ils allaient connaître un nouvel état, inconcevable pour tout esprit humain, y compris les plus ouverts aux représentations mystiques, y compris les plus sensibles aux promesses d'un Paradis, y compris les plus pénétrés d'allégories spirituelles, y compris les plus érudits, versés dans les Saintes Écritures, mais dépourvus d'une imagination assez puissante pour se représenter une telle communion des âmes.

*

Les milliers et milliers d'hommes et de femmes qui avaient souffert et lutté de leur vivant, sans jamais oublier de rendre grâce à Dieu, se retrouvaient là, débarrassés de toutes vanités, de tous conflits, de toutes bassesses, de toute tentation dérisoire, de toute médiocre pensée. Leur mémoire n'était plus encombrée de souvenirs infamants, ne restaient que les plus glorieux, qu'ils partageaient désormais, car toutes les âmes étaient reliées entre elles, toutes communiquaient et formaient une seule et même conscience, infinie, parfaite, sans cesse enrichie par les nouveaux arrivants qui offraient ce qu'ils avaient gardé de meilleur en eux. Toutes les époques, toutes les civilisations, tous les savoirs étaient rassemblés là et, dans cette fusion universelle, les âmes les plus proches de Dieu étaient celles qui, jadis, avaient contribué à rendre l'homme meilleur, porté secours à leur prochain, tendu la main sans calcul, instruit les faibles d'esprit, secouru les vulnérables, consolé les affligés ; ces âmes-là avaient été l'honneur de la Création.

*

Pour tous ceux qui franchissaient le seuil de ce panthéon, s'annonçait une ère de béatitude. Un état qui, s'il devait être comparé aux émotions humaines, aurait réuni en une seule les plus nobles. Il tenait à la fois de la joie du devoir accompli, du réconfort d'avoir trouvé un abri, de la douceur de la guérison après la maladie, et de la fierté d'avoir été choisi par le Très-Haut. Cet état magnifique, récompense suprême, était bien le seul qui permît aux âmes ici reçues d'affronter l'éternité.

Les amants farouches, débarrassés de leur insolence, étaient désormais dignes de connaître cette béatitude. Après les épreuves terrestres, ils se réjouirent de cette promesse de sérénité ultime, et leurs âmes se mêlèrent à l'édénique communauté.

Les millénaires pouvaient maintenant s'écouler.

*

Mais bientôt un curieux phénomène vint troubler cette merveilleuse harmonie. Comme une note discordante dans le chœur divin. Toutes les âmes réunies depuis l'aube des temps découvrirent l'histoire de ces deux-là, du lien qui jadis les avait unis de façon si résistante. Et leur histoire, plutôt que d'être absorbée par cette conscience ultime, venait soudain la perturber.

Comme si leur lien résistait toujours, plus précieux que tous les autres. Comme si, à cette gigantesque fraternité spirituelle, les deux préféraient encore leur complicité d'antan. Comme si toute la connaissance et toutes les expériences désormais acquises leur semblaient bien faibles au regard de leurs souvenirs terrestres.

*

Mais là n'était pas le plus troublant.

À leur contact, les élus revisitèrent leur propre histoire. Et renouèrent peu à peu avec l'un des pires sentiments humains. Le plus inattendu dans un territoire si paisible.

Jadis, ils avaient œuvré à rendre le monde moins cruel. L'amour de Dieu pour ses créatures avait inspiré le leur. Poussés par la plus précieuse des vertus, ils s'étaient consacrés au bien commun. Ils s'étaient rangés, sans qu'on le leur dictât, parmi les prodigues, et leur bonté, et leur sincérité étaient sans pareil.

Mais avaient-ils aimé un seul de leurs semblables plus qu'eux-mêmes ? Au point de perdre tout bon sens ? Avaient-ils connu l'ardeur et l'embrasement ? Avaient-ils atteint ce point d'incandescence au contact de l'autre ? Avaient-ils été dévorés d'impatience hors de sa présence ? Avaient-ils à la fois défié Dieu, les hommes et la mort pour une seule personne ?

Tous les élus du Ciel doutèrent d'avoir jamais su ce que le mot aimer recouvrait vraiment.

Pire encore, ils doutèrent d'avoir un jour été vivants.

Peut-être avaient-ils raté quelque chose lors de leur passage sur Terre. Ce quelque chose, n'eût-il duré qu'un instant, jamais ne se rattraperait, et toute la béatitude éternelle ne suffirait pas à les consoler.

*

Et le Paradis entier fut pris de nostalgie.

*

Dieu se vit contraint de prendre une mesure exceptionnelle. Comment tolérer que deux ingrats qui n'avaient eu que faire de Sa clémence viennent troubler la sérénité et la splendeur de l'Éden ?

Offensé pour la seconde fois, le Tout-Puissant imagina pour eux la pire épreuve.

Il allait les lâcher à nouveau parmi les vivants, mais séparés l'un de l'autre, car là était leur vraie pénitence et leur seule chance de rédemption.

Et Dieu les rejeta chacun aux antipodes.

Puis se détourna d'eux à jamais.

Au Chicago Theatre le spectacle est interrompu juste avant le dénouement – revenus sur Terre, les amants sont condamnés à se chercher l'un l'autre. Soudain la scène devient la salle et la salle devient la scène quand du parterre surgissent des hommes armés – mais prudents, on sait les suspects dangereux.

Et pourtant ils semblent si vulnérables, là-haut, toute fuite leur est impossible. C'est la fin de la cavale. Bientôt on leur mettra des chaînes aux poignets et aux chevilles, on les revêtira d'une combinaison orange, on les jettera dans des cellules séparées. Ils sont déjà passés par là mais cette fois ils n'y survivront pas.

À l'orchestre un homme plus hardi qu'un autre s'enquiert auprès des forces de police de cette interruption, on lui répond de se tenir tranquille dans son fauteuil, dans moins de cinq minutes tout rentrera dans l'ordre et le spectacle reprendra.

On entend alors les sifflets du public, des silhouettes se dressent çà et là, comme si ce classique du répertoire anglais prenait un tour dont personne ne veut ; on a assisté à la triste destinée des condamnés, le roi haineux, le gibet, le bourreau, le peuple qui s'exalte de leur mise à mort. Ce soir on leur laissera une chance. Et rares sont les occasions pour des spectateurs venus assister à une pièce d'en réécrire la fin. Certains s'interposent – si on leur demandait à cette seconde pourquoi, ils seraient bien incapables de répondre. Nul doute que les nobles idéaux mis à l'œuvre par l'auteur ont enfiévré les esprits, car celui qui a fait confiance au conteur en entrant dans son histoire se prévaut légitimement des vertus de ses personnages. Il s'entiche du héros, puis le devient lui-même, et c'est bien la force du conte sur la leçon de morale. Nul doute qu'un réflexe de méfiance devant toute incursion autoritaire, a fortiori dans un espace aussi solennel qu'un théâtre, a resserré les rangs. Cependant personne ne pourrait donner de raison précise à cet élan solidaire mais il semble désormais irrépressible, et les spectateurs qui parfois se lèvent pour une ovation font ici un tollé auquel le plus mauvais acteur ne saurait survivre ; ils quittent les sièges, engorgent les allées, les agents de police s'y noient bientôt, la loge des hors-la-loi est vide, ils ont fui sous les injonctions de la foule. Non sans emporter une dernière image de la scène.

Les deux acteurs principaux, spectateurs à leur tour, applaudissent les fuyards. Tous les quatre s'étudient un instant, se reconnaissent, se sourient, s'adressent un signe de la main. Le passage de relais a eu lieu. Désormais la glaneuse et le braconnier de la légende auront le visage de ces comédiens qui ont mis tant d'ardeur dans leur rôle.

Les amants dévalent des escaliers, s'engouffrent dans les passages que des ouvreuses leur désignent, et les voilà jetés dans une ruelle où s'entassent les poubelles des restaurants alentour. Des sirènes se font entendre, ils se précipitent, se perdent, freinent leur allure, marchent comme des citadins, s'affolent à nouveau, incapables de s'orienter dans cette ville qu'ils ne connaissent pas. Mais ce Dieu du XXIe siècle, tout de lumière et de musique, n'a pas réussi, cette fois, à les séparer.

Elle se retrouva étendue sur un parterre de verdure, clouée par l'attraction terrestre, le geste lourd à nouveau. Ses yeux se gorgèrent de soleil et des sensations familières vinrent peu à peu la rassurer, l'air dans ses cheveux, la chaleur sur sa peau, l'odeur de l'herbe fraîche.

Elle se hissa sur ses pieds et fit quelques pas malhabiles jusqu'à un arbre auquel elle put se raccrocher, d'aspect inconnu, au tronc plus puissant qu'un chêne, dont les branches grimpaient en flambeau vers le ciel. Elle le lâcha pour s'aventurer sur un sentier, tremblante comme une enfant qui apprend à marcher, et grisée d'y parvenir. Elle reprenait conscience d'elle-même, de son histoire, de sa montée au Ciel et de son retour dans ce monde qui bruissait autour d'elle.

Mais elle ne reconnaissait rien du paysage qu'elle traversait, composé de canaux boueux où poussaient d'étranges plantes brunes et rouges. La nature avait-elle changé à ce point ? Combien de siècles s'étaient écoulés depuis son escapade céleste ? Lentement s'estompa la joie de se sentir vivre à nouveau : quels que fussent l'époque et le lieu où elle se trouvait, elle se sentait comme inachevée, privée d'une partie d'elle-même, et la meilleure.

Une sorte de lézard, bien trop dodu, jaune et non vert, lui fit accélérer le pas. La faim au ventre, elle se dirigea vers un flanc de colline planté d'arbres aux pommes rouge et or, délicieuses, providentielles. La glaneuse en elle imagina le plein panier qu'elle aurait pu remplir mais se contenta de rouler dans sa blouse deux ou trois fruits. Elle se laissa happer par un dénivelé qui semblait avoir été agencé par la main humaine, tout en paliers d'herbe rase. La tiédeur de l'air lui fit penser à un jour de mai, les nasillements d'une nuée de canards lui arrachèrent un sourire. Elle pria le Ciel pour que son bien-aimé ait échoué dans une contrée aussi clémente que celle où elle vagabondait maintenant. Inutile d'espérer le trouver dans les parages : où qu'il fût, on l'avait éloigné d'elle de la plus longue distance jamais parcourue par des humains – c'était le sens premier de cette malédiction. Afin d'emprunter au plus vite la route qui la conduirait jusqu'à lui, elle se mit en quête d'une civilisation.

*

Il se réveilla comme au sortir d'une nuit lourde de cauchemars. Encore dans les ténèbres, il se palpa le corps, en testa les rouages, et ouvrit enfin les yeux.

Le soleil naissant donnait des reflets laiteux à une nature exubérante, une forêt prise de folie qui aurait poussé en tous sens. À quelques pas de là dormaient sur des amas de feuilles des hommes à la peau rouge et tannée, à demi nus, leurs arcs et leurs lances à portée de main. Il s'éloigna à la hâte, craignant une confrontation dont il ne sortirait pas vainqueur. Il s'arrêta au bord d'une rivière, cristalline et fraîche, où il plongea pour se laver de sa sueur et calmer son angoisse. La mémoire lui revint enfin et, avec elle, une soudaine langueur. L'essentiel lui manquait, et son corps semblait l'avoir compris bien avant sa raison.

Le braconnier qu'il avait été se sentit vite impuissant dans cette nature hostile, incapable de dénicher les fils de crin pour dresser ses collets, de rabattre le gibier dans une jungle aux frondaisons épaisses comme des murailles. Il se retrouva devant un chat sauvage aux longues oreilles surmontées d'un épi, d'une rare férocité, impossible à affronter sans arme, et doté à l'évidence d'une chair immangeable sans qu'on la faisande. Il se risqua à mordre dans une racine grasse et oblongue échappée du sol mais la recracha aussitôt. Il se fixa le nord pour unique direction, et bientôt des trouées de ciel vinrent éclairer sa route, la végétation se fit moins dense, la brise remplaça la touffeur. Il discerna au loin le cri d'un goéland et, sous ses pieds, du sable se mêlait à la terre.

Un océan l'attendait.

Sa toute première pensée devant une si merveilleuse perspective fut pour celle qui, à n'en pas douter, se trouvait par-delà, sur un autre rivage. Lui qui était né dans les terres et qui jamais n'avait rencontré de marins, comprenait enfin la belle obsession des explorateurs pour les trésors du bout du monde ; désormais il en connaissait un qui méritait qu'on bravât les sept mers pour le découvrir.

En remontant la côte, il repéra dans une crique les restes d'un bivouac à l'ordonnancement militaire, dont les sacs de toile et la malle abandonnés là étaient frappés du sceau de quelque royaume lointain. Sans doute était-ce le même détachement qu'il aperçut deux jours plus tard, voguant sur une chaloupe chargée d'une dizaine d'hommes en uniforme blanc et rouge, issus de la même race que la sienne. Au lieu de leur faire signe il préféra se rabattre en forêt car il savait d'expérience éviter les troupes en opération, d'où qu'elles proviennent. Dans sa première vie, il avait croisé tant de soldats dont le bras armé semblait commandé par une même instance supérieure. Tantôt on avait tenté de l'enrôler de force, tantôt on l'avait déclaré ennemi et tiré à vue, et c'était grâce à sa bonne connaissance de la nature et des bois qu'il avait évité le sort des prisonniers, otages, et autres victimes civiles. Du reste, depuis qu'il était revenu sur Terre, combien celle-ci avait-elle connu de guerres, de croisades, d'invasions ? Combien de fois avait-on redessiné les frontières et redistribué les pouvoirs ? Combien de peuples jadis alliés étaient devenus adversaires sans savoir pourquoi ? Combien de pays avaient changé de nom, de langue, de gouvernance ? Qui étaient ces hommes en rouge et blanc, et que visaient-ils au bout de leur mousquet ? Tant qu'il n'aurait pas de réponse, il se tiendrait en bordure de la forêt tropicale.

Au fil de son exploration, il apprit à reconnaître les pousses comestibles, il réussit même à escalader des troncs immenses afin de dormir haut perché, hors de portée des bêtes. Ce fut pourtant en descendant d'un de ces arbres qu'il se vit attendu par une poignée de guerriers indigènes bien plus agressifs que n'importe quel fauve. Et pendant qu'on lui enserrait la gorge et les poignets dans une liane tressée, il se demanda lesquels, des hommes en uniforme ou des hommes en peintures de guerre, il avait le plus à craindre.

*

Après deux jours de marche elle aperçut une cahute de bambou, puis une autre, puis dix autres. Pressée par le besoin de voir et de toucher des humains, elle s'approcha d'un petit village parcouru de canaux où étaient amarrées des barques étroites à la coque en pointe. Devant chaque demeure se tenait une femme agenouillée qui découpait des herbes et des lamelles de viande sur un étroit billot. Elles communiquaient entre elles par de courtes exclamations rieuses qui lui rappelèrent les lavandières de son village natal. Leur langage, tout de voyelles sinueuses, semblait avoir été conçu pour dessiner sur les lèvres, en fin de phrase, un sourire.

Le sourire vira à la grimace, puis au cri d'alarme, quand l'une d'elles aperçut l'intruse.

Une nuée de villageoises vint l'entourer, toucher sa chevelure, palper les étoffes de sa blouse et de sa jupe. La plus âgée d'entre elles l'entraîna à sa suite afin de la cacher dans un enclos où séchait la moisson. L'étrangère ne comprit que plus tard une telle urgence : les hommes, sur le point de rentrer des champs, allaient s'interroger sur sa présence et peut-être s'en irriter. D'autant qu'elle était peut-être issue de cette peuplade venue de l'ouest qui avait, par deux fois en dix ans, semé la désolation sur son passage.

Le lendemain on lui posa mille questions auxquelles elle ne put répondre, on la déshabilla pour voir comment elle était faite, on la revêtit d'une longue chemise écrue, on lui tressa un chapeau de feuilles à large bord. N'ayant nul autre choix, elle s'abandonnait aux mains de ces femmes qui parlaient toutes à la fois, qui toutes avaient les mêmes yeux en amande et la peau couleur miel. On lui enseigna les rudiments de la langue – elle apprit ainsi qu'elle se trouvait au « Royaume de Siam » –, puis on l'initia au travail en rizière afin qu'elle paye son écot. Mais l'étrangère comprit peu à peu son vrai rôle. Soustraite au regard des hommes, elle était devenue le secret de ces femmes, qui les consolait de l'autorité des pères et des époux. Sa présence clandestine était l'expression de leur solidarité, et peut-être leur tout premier acte d'indépendance.

Adoptée et choyée, la *visiteuse*, comme on l'appelait, se demandait si, à force de voir le monde à travers les yeux de ses nouvelles camarades, elle n'était pas elle-même dotée de leur regard en amande. Cependant le langage lui faisait défaut, non pour communiquer ou traduire sa gratitude, mais pour dire qui elle était, d'où elle venait, et combien lui manquait l'homme que chaque nuit elle retrouvait en rêve. En racontant l'histoire qui la liait à lui, elle leur aurait légué, avant de les quitter, un peu de son bonheur perdu.

Contre toute attente, l'occasion lui en fut donnée.

Un jour où elle passait devant la fenêtre d'un notable du village à qui l'on confiait l'établissement des actes de propriété, elle entrevit sur une natte en osier une liasse bien ordonnée de parchemins vierges, beige clair, de moindre largeur que ceux qu'elle avait connus mais au contour régulier et lisse. On lui offrit volontiers quelques feuilles de ce papier tiré de l'écorce de mûrier et, quand elle s'enquit d'une plume, on lui tendit un bâtonnet d'encre dont elle dut apprendre le maniement.

Du fond de sa grange, plusieurs heures par jour, ou même la nuit à la lueur d'une bougie, elle sollicitait sa mémoire, revivait les épisodes de sa vie passée, tentée de les faire tenir sur des lignes bien droites, car tous méritaient d'être évoqués, y compris les plus malheureux, telle était la vocation de ce document : consigner la vérité de leur histoire pour que d'autres s'en inspirent. Et peut-être avait-elle trouvé là le vrai sens de son apprentissage de l'écriture qui naguère lui avait valu tant de défiance.

Son ouvrage terminé, la *visiteuse* prépara son départ, chagrinée de devoir quitter ces femmes devenues ses sœurs. Elles l'avaient accueillie et cachée, elles l'avaient nourrie avec délicatesse afin que son corps s'habitue aux denrées locales, elles l'avaient habillée à leur mode afin que sa silhouette se fonde dans le paysage, elles lui avaient enseigné assez de mots pour qu'elle se débrouille seule et atteigne le premier port. En échange elle leur laissa un volume de la taille d'un petit grimoire, espérant qu'un jour quelque érudit parlant à la fois sa langue et la leur en fasse une lecture publique. Et ce jour-là, toutes découvriraient qui était cette étrangère, et toutes se féliciteraient de l'avoir recueillie.

*

Le prisonnier s'engouffrait dans la jungle, les poignets entravés, le dos piqué par des pointes de lances, entouré de six indigènes, fiers de leur prise de guerre. Enfin s'ouvrit devant eux un couloir formé de troncs alignés qui marquaient l'entrée d'un village. Au loin se profilait un temple en forme de pyramide, plus haut qu'une colline, constitué de pierres larges comme une nef d'église. En son milieu un escalier lancé jusqu'au ciel se perdait dans les nuages comme une invitation à rejoindre les dieux. À son pied, une myriade de modestes maisons issues de la même pierre abritait une population bruyante où femmes et hommes travaillaient aux mêmes tâches, où vieillards et enfants s'amusaient aux mêmes jeux. L'homme blanc, ficelé comme un gibier, épuisé de fatigue, s'agenouilla devant un puits comme s'il se fût agi d'une statue. On lui tendit une écuelle d'eau fraîche qu'il lampa bruyamment sous les rires des plus jeunes. Derrière le temple se dressait une cage en bambou, aux barreaux espacés de la largeur d'une main, conçue à hauteur d'homme, et qui eût pu en contenir dix, mais qui pour l'heure n'en contenait qu'un.

De race blanche, il était vêtu d'une tunique et d'une culotte usées et noires de crasse qui relevaient de la tenue militaire sans qu'on puisse désormais deviner ses couleurs. Sa barbe et ses cheveux mêlés, tombant sur sa poitrine, donnaient une idée du temps que le malheureux avait passé dans la cage. Il se dressa sur ses jambes pour accueillir ce nouveau locataire dont l'arrivée dissipait du même coup son ennui et sa détresse.

Né en Castille, soldat de métier, Alvaro Santander avait été de tous les conflits ayant agité le Vieux Continent, dont une tentative de destitution de Philippe d'Orléans, en 1718, ce qui expliquait son méchant français mâtiné d'un fort accent espagnol. Envoyé dans les colonies du Nouveau Monde, il avait déserté à peine le pied posé sur le rivage, espérant que ces Amériques soient assez vastes pour qu'on l'y oublie et qu'il y fasse fortune. Jusqu'à ce que la flèche de sa boussole ne croise celles des arcs huacanis, ces guerriers à la peau rouge qui semblaient lui en vouloir depuis des lustres, à lui personnellement, bien innocent des crimes de ses coreligionnaires. Le Français eut enfin les réponses aux questions qui le taraudaient depuis son retour ici-bas : il se trouvait sur le continent sud des Amériques, en l'an 1721.

À force d'être insulté par les hommes, moqué par les femmes, raillé par les enfants, Alvaro avait fini par comprendre et parler leur curieux idiome et, depuis, ses geôliers s'amusaient à lui prédire, en des termes raffinés, la pire des fins. Son codétenu lui demanda pourquoi les sauvages, malgré un tel ressentiment à son égard, l'avaient maintenu en vie si longtemps au lieu de l'exécuter sur-le-champ.

Pour avoir redouté mille morts depuis sa capture, le malheureux avait examiné cette question-là jusqu'à l'obsession. Au tout début, il s'était imaginé qu'on le réservait pour quelque rite sacrificiel. Ce jour-là n'arrivant jamais, il s'était dit que les indigènes voyaient en lui non plus un prisonnier mais une sorte d'animal exotique que l'on visite pour se distraire. Désormais, il détenait la vraie réponse : en l'épargnant, la tribu avait fait de lui une sorte de trophée diabolique, un vivant rappel de ces hordes venues d'au-delà des mers pour éteindre leur civilisation. Rendu inoffensif, le barbare devait être offert au regard de tous pour prouver sa vulnérabilité afin de moins le craindre, et de se préparer, d'abord par l'esprit, à le combattre. Un destin bien ironique pour celui qui, justement, avait fui son propre peuple pour se dispenser d'en combattre un autre.

Le Français s'étonna : s'ils incarnaient l'un comme l'autre l'effrayant colonisateur aux yeux du natif, l'un des deux n'était-il pas superflu ? À quoi bon nourrir un même spécimen en deux exemplaires ? N'y avait-il pas meilleur usage à faire du second ?

À peine eut-il posé la question qu'il trouva lui-même la réponse : quelle plus belle démonstration de la sauvagerie des diables blancs que de les voir s'entre-tuer, car c'était ce combat-là que tous attendaient et attisaient à leur manière.

*

Elle traversa plusieurs villages sans s'y attarder, puis gagna le port de Phonpaï, en mer de Chine. Parmi les navires amarrés, deux seulement semblaient assez puissants pour traverser les océans ; l'un d'eux, battant pavillon portugais, se préparait à rentrer au pays avant une dernière escale à la pointe sud des Indes. Ce fut là son premier choix.

La présence d'une femme sur la passerelle intrigua un matelot, qui alerta le lieutenant, qui se mit en quête d'un homme de son équipage parlant le français. Elle déclara vouloir rentrer en Europe et proposa, sans rien connaître des traversées au long cours, de payer son passage en s'acquittant de toutes sortes de tâches, briquer les ponts, nettoyer les cales, aider en cuisine, servir les officiers. Une fois son laïus traduit en portugais, une trentaine de matelots éclatèrent d'un rire qui créa presque un tangage.

Le lieutenant, tout en redingote, boutons dorés et perruque poudrée, félicita la demoiselle pour son grand courage qui n'avait d'égal que son étonnante naïveté : comment s'était-elle imaginé passer près d'une année en mer au milieu de cent matafs aux manières qu'il qualifia de rustres ? Par ailleurs, comment pouvait-elle ignorer que les marins interdisaient la présence d'une femme à bord parce qu'elle portait malheur ? Comme elle demandait d'où leur venait une aussi stupide superstition, il ne sut quoi répondre mais affirma qu'au moindre incident – attaque de pirates, scorbut, naufrage – elle en serait tenue pour responsable et personne n'hésiterait alors à la jeter à l'eau.

Quand elle eut annoncé vouloir tenter sa chance sur l'autre caravelle arrimée dans le port, le lieutenant cessa toute ironie : sur ce bateau-là on accepterait avec enthousiasme la présence d'une demoiselle. Ses hommes, les pires flibustiers ayant jamais écumé les mers, ne craignaient aucune superstition, pas plus qu'ils ne redoutaient les malheurs qu'une femme pouvait leur causer : c'était plutôt à elle de redouter tous les traitements que ces bandits de haute mer lui feraient subir.

De fait, s'approchant de leur navire, elle aperçut, chargeant des marchandises à bord, une poignée d'hommes si sales et mal accoutrés qu'elle les crut contrefaits. L'un d'eux lui lança de sinistres œillades, un autre vociféra un compliment dont elle comprit aisément la teneur. À les voir prendre à bras-le-corps des quartiers de viande et des tonneaux de rhum, elle comprit qu'en acceptant leur offre elle aussi servirait de ravitaillement, mais d'un autre ordre.

Elle se sentit comme échouée, rejetée par les

flots, et il en serait ainsi dans tous les ports du monde. Elle reprit la route à pied, sans savoir qui, de la mer elle-même ou des hommes qui la sillonnaient, ne voulait pas d'elle.

On la condamnait à la voie terrestre ? Tant pis. Le temps n'aurait plus cours, seul compterait désormais la distance, qu'elle allait réduire un peu plus à chaque pas. Soudain débarrassée de son impatience, elle venait de trouver le plus court chemin.

*

Le Français, anticipant une lutte fratricide, exhorta l'autre à ne pas tomber dans le piège qu'on leur tendait. Au lieu de sombrer dans l'inhumanité dont on les accusait, pourquoi ne pas prouver à leurs geôliers le parfait contraire ? Qu'avaient-ils à perdre en se montrant sous un jour inattendu, bien plus proche de leur nature profonde que cette figure d'envahisseur ? Son ambition était de raconter aux Huacanis comment par le passé on l'avait condamné, exécuté, et comment il était revenu du territoire des morts.

En l'écoutant, Alvaro hésita entre deux hypothèses : rendu fou par sa captivité, son acolyte avait sombré dans une sorte de délire aux ressorts fabuleux, digne d'un esprit à la fois malade et puissant. À moins qu'une telle fabrication mentale ne fût le signe d'une extrême rouerie, qui pouvait, pour peu qu'on la traduise habilement, leur éviter une mort certaine.

Les natifs, qui certes se méfiaient des affabulations de ces prédateurs déchus, ne purent cependant résister à un récit où il était question de l'Au-delà – de quoi embraser leur éternelle superstition car ils croyaient à une renaissance après la mort, et leurs légendes abondaient de revenants et de fantômes. En fait de combat sanguinaire, la tribu entière, réunie autour des prisonniers, assista ce soir-là à un spectacle inattendu.

Celui qui racontait planta une nature et un climat bien différents d'ici, où alternaient quatre saisons, dont une terrible et froide au point que les populations pouvaient marcher sur l'eau et traverser les rivières devenues solides. Il consacra tout un épisode à la description des animaux qui peuplaient les basses-cours, dont il imita les chants et les cris, ce qui en entraîna bien d'autres dans l'assistance. Puis il s'arrêta un instant sur son métier de braconnier, sa science des pièges et sa grande patience, ce qui lui valut les quolibets des véritables chasseurs. Arriva enfin son vrai récit, car tout ce qui avait précédé dans sa vie n'avait été qu'un préambule avant de rencontrer une exceptionnelle créature. Pour évoquer ses manières et sa grâce, il se lança dans de tels développements que son traducteur, à court de vocabulaire, eut recours à des images puisées dans ses souvenirs de la Bible. Puis il décrivit l'instant de leur rencontre comme une seconde naissance, avec toute la violence de la première, la sensation de soudain s'arracher au néant, de se gorger d'énergie et d'éprouver tous ses sens pour la première fois. Pris par un récit à ce point exalté, les Indiens virent peu à peu apparaître l'ombre de cette femme aux côtés de celui qui la célébrait ; bientôt sa silhouette imaginaire se teinta d'une réelle carnation et ses yeux se mirent à briller dans la nuit. Suspendus aux lèvres du conteur, les indigènes étaient devenus les captifs, et le prisonnier leur geôlier.

Quand il décrivit leur vie au sein du hameau, en proie à l'agacement des villageois, les hommes et les femmes de la tribu ne se virent pas comme un de ceux-là, mais comme l'acteur et l'actrice principaux de la fable, et tous devenaient des amants fervents, maudits par la communauté. Quand il évoqua leur condamnation par le tribunal, puis par le roi lui-même, ils huèrent le pouvoir inhumain qui régnait dans ces contrées-là. Ce ne fut rien en comparaison du chapitre céleste, où le narrateur et sa bien-aimée avaient été déclarés indésirables. Fallait-il que leur dieu soit cruel pour chasser deux âmes si pacifiques, si éprises l'une de l'autre.

Au dernier mot du conte, les Indiens comprirent le sens profond de la présence de l'homme blanc parmi eux. Ils ne le virent plus comme un intrus mais comme une sorte d'éclaireur chargé de visiter une vraie civilisation, humaine et évoluée, afin d'édifier la sienne, confinée dans la barbarie. Et cette visite devait dorénavant être inscrite dans l'histoire de leur clan. Un tailleur de pierre se mit au travail.

On laissa les prisonniers circuler librement, on les nourrit de façon décente, on leur prêta une hutte afin qu'ils puissent se reposer dans l'obscurité, avant leur départ. De la viande séchée, une gourde, une lance à la pointe forgée, un médaillon en or gravé à l'emblème de la tribu, voilà ce que les anciens prisonniers emporteraient avec eux, en plus du souvenir de ces Huacanis, parfois cruels mais capables d'entendre la voix de la sincérité. En longeant le temple, ils reconnurent des scènes gravées dans un bas-relief, l'un pour les avoir vécues, l'autre pour les avoir traduites. On y voyait les silhouettes d'un homme et d'une femme dépouillées de tout vêtement, la tête détachée du corps, entourés d'une myriade de symboles, croix, soleil, mains, flammes, la plupart indéchiffrables aux yeux du profane. Sur une autre dalle, on discernait deux hommes dans une cage, puis les mêmes, munis de lances, entourés d'arbres et de fauves. *Qui peuvent être ces deux personnages?* demanda le Castillan à son comparse, qui répondit : *Ce sont les deux diables blancs qui avaient un cœur*.

#runninglovers.

À minuit passé de vingt minutes, pendant qu'elle conduit sur une autoroute à huit voies en direction de Cleveland, il découvre via son téléphone qu'un mot clé les désigne sur les réseaux sociaux. Déjà on peut voir des images en ligne de leur présence au Chicago Theatre. Quand il n'a pas l'œil rivé sur son écran, il scrute le ciel au cas où les feux d'un hélicoptère se mettraient à scintiller parmi les étoiles.

Sans cet avis de recherche ils parcourraient en ce moment même une route à l'exact opposé, en Colombie, à la recherche d'une pyramide, dernière trace de la civilisation Huacani. Jamais elle ne verra de ses yeux les bas-reliefs aux symboles dont on ne connaît toujours pas la signification. Certes elle les a vus sur une page internet mais comment éprouver cette émotion tant de fois décrite par son mari sinon devant la pierre elle-même.

Lui, de son côté, a renoncé à l'idée de lire un jour ce manuscrit écrit sur papier d'écorce de mûrier, aujourd'hui propriété du consulat de France à Chiangmai, en Thaïlande, après avoir été conservé des siècles dans la bibliothèque d'un monastère bouddhique. Aucune transcription n'en a encore été rendue publique.

Son auteure en éprouve plus de soulagement que de regrets. Bien loin est le temps où les amants veillaient à transmettre leur histoire. Aujourd'hui ils donneraient tout pour que leurs traces s'effacent comme par enchantement, dans les mémoires et dans les écrits. En s'égarant au théâtre, ils ont commis l'erreur de vouloir remonter le temps, ils se sont émus d'eux-mêmes, par nostalgie ou péché d'orgueil, ils se sont mis en péril, trop fiers de leur chaotique passé.

Un *#runninglovers* vient de tomber. Un Français prend leur parti et les exhorte à n'avoir peur de rien durant leur fuite. Qu'il se rassure : c'était selon eux faire trop d'honneur à cette ère moderne que de la craindre.

Dans cet empire de Chine, la voyageuse préférait faire étape dans les cités, où elle espérait passer inaperçue. Quand elle ne se heurtait pas à l'hostilité des commerçants, elle se faisait une place dans un marché afin d'y vendre sa cueillette, puis se risquait dans les quartiers dits dangereux dans l'espoir d'y croiser un aventurier arrivant de son pays, afin de s'assurer qu'il existait encore. Elle n'en trouva aucun.

En traversant une région montagneuse et très verte, elle se fit recruter avec d'autres saisonniers pour aider à la récolte d'une plante qu'elle ne connaissait pas, dont on tirait un breuvage âpre, parfumé, plus puissant que toutes les infusions qu'elle avait goûtées jusqu'alors. Tout le jour durant, elle remplissait des corbeilles entières de pousses de thé qui lui brunissaient les mains, lui irritaient les yeux et agaçaient ses narines. Le soir, une fois son bol de riz avalé, elle partageait un moment de détente avec sa communauté d'ouvriers. À cette femme blanche, aux yeux clairs et au long nez, peu bavarde mais bonne travailleuse, on demanda d'où elle venait. Avec les quelques mots qu'elle possédait, elle répondit : *Je cherche mon mari.* Ce qui déclencha l'hilarité de tous.

Croyant qu'elle aspirait au mariage, des jeunes gens s'approchèrent. Elle les détrompa vite : elle avait déjà un mari qui se trouvait *au bout du monde, Dieu seul sait où.* Ce qui, à nouveau, fit rire aux éclats et donna un regain d'énergie à ceux qui tombaient de sommeil. Quand on lui demanda si le cher homme avait fui avec une autre, plus jeune, plus riche ou plus belle, elle répondit : *Je n'ai aucune nouvelle de lui depuis que nous sommes tombés du Ciel.* Ce soir-là on oublia fatigue et courbatures, car si la plante de thé avait des vertus euphorisantes, *la femme tombée du Ciel* en avait tout autant. Elle se risqua à étoffer son récit de tournures plus habiles, on l'aida même à terminer ses phrases malgré leur caractère invraisemblable. Le public se délecta du passage où les époux avaient dû s'acquitter d'une taxe auprès du collecteur d'impôts afin qu'on leur fiche la paix, et plus encore de l'épisode où le roi en personne avait exigé d'eux qu'ils le guérissent. Quand on lui demanda comment ils s'étaient tirés de ce mauvais pas, elle répondit : *Très mal, il nous a coupé la tête !* L'étrangère régala les ouvriers de ses raccourcis saisissants, et le lendemain, dans les plantations, un panier sur le dos, ils les répétèrent comme de bons mots. On se prit d'affection pour cette femme venue de si loin pour les distraire et, que l'on crût ou non à ses extravagances, on était touché par le tendre sentiment qui la liait à un époux qui n'existait que dans ses rêves.

Leur solde en poche une fois la moisson terminée, tous se fixèrent rendez-vous dans un an. Un jeune homme donna à la femme tombée du Ciel un précieux renseignement : à moins de dix jours de marche se trouvait la ville de Shingsao, d'où partaient les routes commerciales en direction de l'ouest. Il avait lui-même travaillé dans une propriété d'exportateurs de renom qui songeaient à embaucher une gouvernante occidentale. De là, en faisant preuve d'un peu de patience et d'astuce, l'étrangère saurait trouver un moyen, en empruntant une des routes de la Soie ou des Épices, pour rejoindre son pays.

Durant sa marche, elle apprit à jouer avec les trois pièces d'étoffe qui constituaient sa tenue, l'une couvrant ou découvrant ses jambes au gré des cours d'eau traversés, une autre lui enserrant la taille jusqu'à la poitrine, et une dernière qui tantôt lui recouvrait la tête, tantôt lui protégeait la nuque, tantôt lui masquait le visage. À la voir cheminer ainsi on aurait dit une gravure biblique, un saint apôtre, un prophète ouvrant la voie à son peuple.

*

L'Espagnol et le Français retrouvèrent la civilisation telle qu'ils l'avaient oubliée après de longs mois de captivité. Dans le port de Teyagueca, navires de guerre et de commerce se côtoyaient, leurs marins également, heureux de retrouver la terre ferme ou de la quitter. N'ayant rien à monnayer, les deux compères durent se défaire de leurs précieux médaillons huacanis chez un orfèvre qui les fit fondre pour les revendre à l'once. Une fois rasés, habillés et rassasiés, ils se mirent en quête d'une taverne qu'ils ne quitteraient que fin soûls.

Au premier verre de rhum ils crachèrent le feu mais leur gosier en réclama un deuxième. Au troisième ils oublièrent les mauvais traitements subis, l'emprisonnement, la jungle. Au quatrième ils oublièrent l'idée même d'adversité. Au cinquième, Alvaro, gagné par la nostalgie, se laissa aller à la confidence.

Il avoua avoir abandonné au pays une femme tendre et naïve qui, en se donnant à lui, avait perdu son honneur aux yeux de la bonne société. Au lieu de rendre sa dignité à cette Doña Leonor en demandant sa main, Alvaro avait préféré s'enrôler, non par soif d'aventure mais pour fuir sa propre lâcheté, honteux de s'être laissé convaincre de l'immoralité de sa jeune maîtresse. Des deux, lui seul avait perdu sa dignité : elle avait cédé à son embrasement, lui aux injonctions de la morale. Il pensait avoir oublié cet épisode peu glorieux, jusqu'à cette nuit de veille où, en traduisant le récit de son compagnon pour apitoyer des indigènes, il avait découvert comment celui-ci avait affronté le courroux des hommes au nom de sa bien-aimée.

Son ami, assez ivre pour partager sa peine, lui proposa de rentrer avec lui sur le Vieux Continent ; s'il se sentait aussi coupable, pourquoi ne pas tenter de réparer, moins aux yeux de la bonne société qu'à ceux de cette femme qui selon toute vraisemblance pensait à lui chaque jour, et en des termes moins infamants qu'il ne l'imaginait. Le Castillan l'en remercia mais refusa tout net ; son ancienne amante avait sans doute rencontré un mari qui avait su la consoler, et la débarrasser du triste sobriquet dont on l'affublait depuis son déshonneur : la *Soltera*, la célibataire, la vieille fille.

Alvaro se promit cependant de racheter sa faute en donnant ainsi un but à sa vie d'errance. Peut-être allait-il réparer une injustice, secourir une femme méprisée, ou combattre les préjugés de son époque : une véritable aventure s'offrait enfin à lui.

Le lendemain, l'esprit encore embrumé, ils se dirent adieu. L'un allait remonter vers le continent nord de cette Amérique à conquérir, tandis que son comparse allait traverser l'océan pour regagner le pays natal. Ils se souhaitèrent de trouver chacun une réponse à leurs vœux, s'embrassèrent comme des frères, puis l'un disparut en remontant le port, l'autre se dirigea vers le quai dévolu aux navires marchands. Il en découvrit un, sous pavillon français, prêt à lever l'ancre.

Le *Sainte-Grâce*, un galion à la coque ventrue, transportait le plus souvent du coton ou du tabac mais acceptait au prix fort une poignée de passagers, généralement des commerçants accompagnant leurs marchandises, ou des clercs de notaires chargés par leur étude de rédiger les actes de propriété des concessions outre-mer. Une cabine restait vacante, et le seul candidat assez pourvu pour y prétendre – le solde de son médaillon – se trouvait maintenant sur le pont. Mais le capitaine posa une condition avant de la lui octroyer :

Monsieur, les passagers déjà à bord m'ont tout l'air de tristes sires. Leurs bavardages d'huissiers ou de boutiquiers sont assommants, et plutôt qu'à ma table je préfère les savoir dans leur cabine, prêts à défaillir au premier grain. La traversée sera longue, et elle le sera plus encore si le soir venu je suis condamné à leur compagnie. Ayant navigué avec de grands explorateurs, ayant franchi des caps meurtriers, je me suis lassé de toutes les légendes qui courent les mers depuis l'arche de Noé, et je suis prêt à céder cette dernière place à celui qui saura me divertir de sa conversation, originale, et surtout récréative. À vous de me convaincre que vous êtes celui-là.

Je vais vous raconter comment j'ai rencontré ma femme et comment j'en ai été séparé, répondit-il, provoquant sitôt l'ennui de son auditeur. Selon lui, tout homme avait vécu cette histoire-là, affligeante pour celui qui la subit et pénible pour celui qui l'entend.

Lancé dans sa version, inédite et riche en détails extravagants, le narrateur prit soin de suspendre son récit à l'instant précis où les deux bourreaux lèvent en même temps leur hache pour exécuter le couple maudit. Il gardait la suite pour la traversée, au cas où il lui serait permis d'embarquer.

Le capitaine accepta illico à son bord un homme dont l'imagination était assez puissante pour défier les sept mers et les quatre océans. De fait il avait hâte de lever l'ancre pour savoir ce qu'il était advenu des deux amants, laissés en fâcheuse posture, la tête sur le billot.

Hélas, son passager ne lui raconterait rien de la suite, ne la connaissant pas lui-même. Du reste, il s'apprêtait à passer toute la traversée sur son bat-flanc, la plus moelleuse des couches après tant de nuits dans une cage et une jungle. À la table des officiers, on allait le traiter d'imposteur. Trop tard pour faire demi-tour.

*

Une fois rendue dans la ville de Shingsao, elle n'eut aucun mal à trouver la résidence de ces riches négociants qui embauchaient et débauchaient au gré de leurs caprices. La patronne, très intriguée par cette femme blanche venue se présenter d'elle-même, recherchait une dame de compagnie formée aux bonnes manières occidentales. Curieuse des mœurs du royaume de France, elle s'interrogeait sur la manière dont les seigneurs y tenaient leur maison.

Pour avoir servi dans un château, la Française lui décrivit les occupations des nobles, le train qu'ils menaient, insistant sur leur arrogance et leur muflerie. Entre deux anecdotes qui divertissaient la maîtresse de maison, elle lui soutirait de précieuses informations sur les caravanes affrétées par son mari pour acheminer ses marchandises vers l'Europe.

Leurs conversations se firent quotidiennes, de plus en plus intimes, et la dame de compagnie devint une confidente attentive. La patronne se plaignait de l'indifférence de son mari, et c'était même pour cette raison qu'elle se montrait si intriguée par les manières des hommes de là-bas. Malgré un mariage arrangé par leurs familles, elle avait eu la chance de tomber sur un garçon plutôt bien fait, courtois, drôle. Mais après vingt années de vie commune, elle le décrivait comme un être pragmatique, absorbé par ses comptes, absent à table comme au lit. Sans doute en était-il de même, soupirait-elle, pour toutes les filles devenues des épouses, puis des mères, perdant ainsi l'attention du garçon devenu leur mari, puis le père de leurs enfants. Car tous les jeunes mariés du monde découvrent peu à peu qu'hommes et femmes sont mus par des besoins opposés, des désirs inconciliables que le temps ne fait qu'aiguiser, souvent comme des lames. Les plus avisés savaient éviter déchirements et mensonges, et grâce à cet effort ils pouvaient paraître en public au bras l'un de l'autre et entendre dire sur leur passage : *Voilà un mariage réussi*.

La Française se déclara bien incompétente pour juger de la longévité des couples puisque le sien avait hélas été brisé dès ses débuts, quand tout n'est que subjugation et découverte. Qui sait si elle aussi, après vingt années de vie commune, aurait connu cette indifférence et cette érosion ? Mais comment se lasser d'un homme qui l'avait à ce point respectée, écoutée, admirée, encouragée et apaisée ?

Sommée d'en dire plus, elle raconta son histoire, ce qui déclencha la fureur de sa maîtresse ; à s'être montrée si sincère sur ses déceptions de femme, elle avait attiré le sarcasme, car comment interpréter autrement les divagations de cette étrangère, se posant comme l'exception qui confirme la règle.

Menteries! Fourberies! Perfidies! Que vous allez répéter sur-le-champ à mon mari, qui, entre autres marchandises, doit aussi sa fortune au commerce d'esclaves!

Habitué aux lubies de sa femme, le maître se montra contrarié d'être mêlé à des bavardages aussi futiles. Il oublia pourtant son impatience au fil du récit de l'étrangère. Il la pria même de s'arrêter sur l'épisode où elle avait pris la défense de son compagnon lors de leur procès. Puis sur celui où, côte à côte, ils avaient affronté le roi. Quand elle eut fini, il la remercia vivement, puis se tourna vers son épouse: *Avez-vous enfin entrevu ce qu'un mari est en droit d'attendre de sa femme?*

Fallait-il que ces mœurs viennent de loin pour qu'on s'en étonne à ce point! N'était-il pas temps de s'en inspirer? Il avait épousé une demoiselle bienveillante, naïve parfois mais si spirituelle! Or, une fois le couple installé sur le chemin de la prospérité, il avait découvert une femme sévère, préoccupée de l'étiquette, impatiente de posséder telle frivolité, amère qu'on ne la lui cède pas. C'était là désormais l'essentiel de leurs échanges. Des deux, c'était elle la contremaître, la comptable, prompte à calculer ce qu'elle donnait sans savoir gré de ce qu'elle prenait, à ajouter les griefs sans soustraire les attentions, à évaluer l'incurie de l'autre sans mesurer la sienne. Ah, si sa propre femme avait eu les mêmes convictions que cette étrangère, sans doute se serait-il moins préoccupé de ses affaires !

Soudain dépossédée de son statut de victime, l'épouse déclencha une guerre dont l'issue ne serait pas la réddition de l'ennemi, mais son anéantissement total.

Et cette guerre révéla en chacun d'eux une haine passionnée. Les griefs, trop longtemps contenus, furent crachés en vrac, comme un volcan remâche sa lave durant des siècles et la vomit en une nuit. Ils maudirent leurs parents de les avoir réunis, enlaidirent leurs souvenirs communs, raillèrent leurs gestes intimes, révélèrent de noirs secrets tus jusqu'alors, mais ce ne fut pas encore assez, alors ils profanèrent et saccagèrent tout ce qu'ils avaient bâti, et se retinrent d'en venir aux mains, évitant de justesse le coup de grâce qui à jamais les délivrerait de l'autre.

À la violence – qui rappelait curieusement la frénésie de leurs premières années – succéda une phase d'amertume où chacun fit le constat froid de leur échec conjugal. Les arguments abondaient, parfois partagés, au point que chacun fut surpris de découvrir chez l'autre un regain de bonne foi. Puis, sur le point de tout perdre, un sentiment inconnu les étreignit, un sentiment dont ils ne connaissaient pas le nom, à mi-chemin entre nostalgie et contrition. La querelle vira à l'examen de conscience, aux aveux mutuels, chacun retournant son réquisitoire contre lui-même. À l'aube ils dressèrent une liste de résolutions, signèrent un pacte, et se tombèrent dans les bras.

Pour remercier l'*étrangère* – qui plus jamais ne le serait dans cette maison – ils la prièrent de formuler un souhait, ce qu'elle fit sur-le-champ tant il était pressant.

Le maître lui établit une carte précise de son parcours jusqu'en France. Il lui enseigna le maniement d'une boussole puis dressa son équipage, car désormais elle ne voyagerait plus seule. D'évidence on allait lui présenter un âne, éternel compagnon de l'homme de peine et du voyageur. Elle fut bien surprise de voir surgir d'un enclos deux jeunes chiens, trapus comme de petits lions, roux, courts sur pattes, les oreilles en pointe, la queue en panache, le poil dense et la langue bleue. *Il s'agit de deux frères de la race chow-chow, que nous utilisons aussi bien pour le transport de marchandises que comme chiens de garde tant ils sont féroces avec les inconnus. À l'opposé des autres chiots, ils sont déjà dotés d'une étonnante sagesse qui consiste à ne pas voir ce qui n'a nul besoin d'être vu, à ne pas entendre ce qui ne saurait l'être. Celui qui tentera de les domestiquer ne s'attirera jamais leur dévouement : estimez-les, voyez-les comme des partenaires et non des bêtes de somme, misez sur la confiance et non l'obéissance et ils sauront vous ramener à bon port.*

Le maître vérifia une dernière fois le bon agencement de l'équipage, s'adressa aux jeunes chiens comme à des explorateurs au seuil du vaste monde, et souhaita bonne route à la Française. En les voyant s'éloigner, il aurait été bien incapable de dire s'il avait confié la femme aux bêtes, ou l'inverse.

*

Une lame de fond haute comme un château s'abattit sur le *Sainte-Grâce* et brisa un mât. À la suivante, les matelots arpentaient les ponts en tous sens comme prisonniers de la Nef des fous. Pour tenter de reprendre le contrôle du navire, le capitaine hurlait des ordres à son second, lequel savait différencier l'autorité de la peur.

Au milieu de l'océan, les dangers d'une traversée monotone et d'une conversation ennuyeuse ne furent plus à redouter. Une tempête d'une violence digne des mythologies retournait le navire comme une feuille, détruisait le bastingage, précipitait les hommes à la baille. Certains passagers, accrochés à leur bat-flanc, s'imaginaient à l'abri dans leur cabine, d'autres avaient rejoint le capitaine sur la passerelle pour s'en remettre à lui.

Devant tant d'agitation, un seul homme gardait bonne contenance, maître de ses gestes et de sa volonté ; les deux mains cramponnées à un garde-corps, il attendait chaque nouvelle vague avec un air de défiance. Étrange ironie : il était le seul sur cette embarcation à n'avoir jamais pris la mer. Comment expliquer alors ce flegme proche de l'aveuglement quand les marins les plus aguerris en étaient à se signer ?

Au matin il avait été réveillé par une forte houle qui avait incité le quartier-maître à réduire la voilure. À midi, le coup de tabac s'intensifia, et les matelots, inquiets, évoquèrent de redoutables précédents : la tempête des Hellènes, celle de Saint-Malo, le cyclone des Célèbes. Vers les cinq heures, quand l'horizon disparut dans les ténèbres, le capitaine et son second s'efforcèrent en vain de contenir la panique à bord. Au soir, quand le navire fut happé dans une tornade, les matelots cessèrent d'obéir, gagnés par la mutinerie ; tout le commandement les suivit bientôt, et le capitaine, soudain seul à la barre, se résigna lui aussi : à quoi bon lutter contre la colère de Dieu ?

C'est alors qu'intervint l'homme qui n'avait jamais pris la mer. En entendant invoquer *la colère de Dieu*, il fut lui-même saisi d'une fureur qui eût fait passer la tempête pour un doux crachin. *Que savez-vous de la colère de Dieu, capitaine ?* Ce caprice des vents qu'ils subissaient maintenant n'était en aucune manière la preuve d'un courroux divin, le Très-Haut ayant fort à faire en son royaume, comme châtier des amants trop ardents et les séparer pour retrouver son honneur. Il se fichait bien des marins, du coton qu'ils transportaient, du rhum dont ils s'enivraient ou des intempéries qu'ils essuyaient. Aussi la dernière chose à faire était de s'en remettre à Lui ! Et puis quelle immodestie que de se prévaloir de l'ire de Dieu à la première avanie ! Ah si les mortels cessaient un instant de se sentir épiés par le jugement suprême, peut-être atteindraient-ils le moment venu un état de transcendance afin de conjurer eux-mêmes les coups du sort ! Puisque Dieu était si souvent absent, pourquoi ne pas se prendre pour Lui, une heure durant, avant de redevenir un vulnérable humain ?

Pendant que les vagues leur fouettaient le visage, le passager invectivait le capitaine, le sommait de reprendre le cap et de prouver que la détermination d'un seul était plus forte que le découragement de tous. Car l'occasion ne lui serait plus jamais donnée d'ajouter son nom à ceux des capitaines de légende qui avaient triomphé des éléments déchaînés.

Ce fut peut-être ce tout dernier argument qui l'emporta.

Rappelé à son devoir, le capitaine releva la tête, hurla des ordres au timonier, secoua ses lieutenants, arpenta le navire en tous sens pour ramener les hommes à la raison, jurant à tous qu'avant l'aube ils seraient sortis d'affaire : bientôt on parlerait d'eux des Açores au cap Horn.

Le lendemain, le navire glissait sur une mer assoupie après tant de convulsions. Les hommes gisaient sur les ponts, surpris d'être encore en vie après ce cataclysme qui bientôt porterait un nom. Le capitaine, vidé par l'effort, s'employait à reprendre les commandes d'un bateau qui n'en possédait plus ; mâts arrachés, gouvernail détruit, coque endommagée, armatures dévastées de la proue à la poupe ; le *Sainte-Grâce*, seigneur des mers en perdition, s'abandonnait à l'océan. Se sentant seul et peu inspiré, il se demanda où se cachait ce providentiel passager dont la voix avait grondé plus fort que la tempête. Celui à qui tous devaient leur salut sans le savoir. Après avoir sauvé le navire des abysses, allait-il l'aider à retrouver un cap ?

L'homme en question se languissait sur sa couche. Si la tempête l'avait révolté, la dérive le laissait dans l'incapacité d'agir. Seul le cri d'un homme de vigie qui annonçait une terre parvint à lui faire quitter sa cabine.

Les matelots et passagers regroupés à bâbord tentaient d'apercevoir les contours d'un rivage encore dans la brume. Sans gloire, le capitaine leur apprit que selon toute vraisemblance ils avaient atteint une côte africaine à 2 500 milles au sud de leur destination d'origine.

Il prend pour 30 $ d'essence, de quoi rejoindre Cleveland. Avec les 8 $ qui restent elle peut payer deux grands cafés et un de ces tee-shirts blancs suspendus en vitrine de la supérette de la station. Sur un écran au-dessus de la caisse, qui diffuse une chaîne d'information en continu, elle aperçoit une Ford Capri grise qui file dans la nuit, immatriculée au Nouveau-Mexique, avec l'aile avant droite d'une couleur différente. La même qui présentement est garée à la pompe numéro 2. Comme s'il fallait une confirmation, s'affichent les inévitables photos des deux Français recherchés et violents.

Le caissier prend un air indifférent mais ses gestes se crispent. Il se force même à sourire en rendant la monnaie à cette cliente à haut risque, tout en se demandant si la matraque et le *home gun* se trouvent bien à l'endroit habituel, sous le rouleau de papier absorbant. Il ne tente rien avant qu'elle ne soit sortie puis décroche son téléphone sans la quitter des yeux.

Les ennemis publics ne remontent pas dans leur

voiture et disparaissent. Il est quatre heures du matin.

*

Pendant qu'ils enjambent un parapet d'autoroute pour s'engouffrer dans un champ de maïs, ils reconnaissent avoir perdu leur invisibilité. Une heure plus tôt ils s'étaient félicités d'avoir eu de la *chance*. Ils payent maintenant d'avoir osé prononcer le mot tabou. Ils en sont presque honteux, avouant là leur fatigue et leur amertume, car depuis le premier jour ils s'étaient défaits de l'idée de chance et de destin, refusant d'admettre que leurs choix et leurs actes étaient soumis à l'arbitraire et au hasard. Comment concevoir que seul l'aléatoire régit toute trajectoire humaine, et qu'un individu, pourvu que la chance lui sourie, puisse s'affranchir à la fois de son sens du devoir et de ses convictions ? Eux devaient leur survie à leur seule détermination. Pas une fois – ils insistaient sur ce *pas une fois* – la Providence ne les avait tirés d'affaire.

Oubliés, les jours de marche dans la solitude et la crainte. Elle comptait désormais sur ses deux chows-chows, infatigables petits compagnons, peu joueurs, le plus souvent taciturnes, vigilants comme des aigles, sérieux comme des mandarins. Le soir venu, ils se chargeaient eux-mêmes de leur nourriture, terribles prédateurs en chasse de tous gibiers, même supérieurs à leur propre taille puisque leur gémellité les rendait invulnérables, et c'était comme un ballet de les regarder progresser vers la proie avant de la tailler en pièces. Quelques bandits de grands chemins et soudards éméchés en avaient fait les frais, les jambes en sang et l'orgueil en lambeaux. À les voir avancer flanc contre flanc, absorbés par leur dialogue muet, on eût dit que ce périple était le leur, et que la créature à leur côté, longiligne, drapée de blanc, leur servait à respecter l'itinéraire et à communiquer par la parole avec ceux de sa race. Boussole et carte en main, elle connaissait désormais le plus court chemin d'une ville à une autre, et quand parfois elle regardait son précieux document avec un peu de recul, elle suivait des yeux la ligne continue qui reliait ses points de départ et d'arrivée, comme un fil d'Ariane qui la guidait vers son bon ami.

Il leur fallut deux mois pour atteindre le golfe du Bengale. Dans un marché aux herbes et aux fleurs, elle vendit un panier de jasmins blancs, un autre de feuilles de curry vert, très rare, dont on tirait une épice délicate. Puis elle s'offrit une nuit dans un gîte où transitaient des familles de journaliers. Une mère entourée de sa marmaille, s'étonnant de la présence d'une femme seule, lui demanda sans précaution si elle était célibataire, veuve ou répudiée. La Française, irritée de se voir classée dans une de ces catégories, affirma afin de semer le trouble avoir été séparée de son époux à cause d'un roi tyrannique, qui avait vu en eux des sorciers capables de soigner son mal incurable. Elle obtint le résultat escompté, une hébétude partagée par tous, avant qu'on ne l'interroge sur la manière dont elle s'était tirée de cette sale passe. Sur le point de décocher une réplique qui par le passé lui avait valu un vif succès, elle entendit s'élever au fond de la salle une voix plus prompte que la sienne : *Très mal, il nous a coupé la tête !*

Un convive déclara tenir cette anecdote d'un soldat, qui la tenait d'un maréchal-ferrant qui la tenait d'un saisonnier. La Française ne s'en offusqua en aucune manière : si une légende était toujours inspirée de faits réels, la voix des hommes la perpétuait pour en faire un bien commun. Si on la polissait par la parole, si on en gommait les aspérités, si on l'agrémentait de fioritures, c'était pour la rendre accessible à toutes les cultures et la transmettre par-delà les frontières et les générations. La sienne avait encore une longue route à parcourir avant de trouver sa forme définitive.

Nulle autre étape n'étant prévue avant les Indes, elle fila les jours suivants sans dresser le bivouac. Bientôt elle atteignit la cité de Kunyamar, qu'elle aurait dû traverser sans heurt si le prince régnant n'avait cédé à la pression de ses conseillers qui redoutaient l'invasion imminente d'un pays frontalier. On contrôlait la circulation de toute personne étrangère, on l'encourageait à quitter le territoire, ou on la retenait le temps d'un interrogatoire. Ce fut le cas pour cette voyageuse qui prétendait rejoindre l'Occident uniquement accompagnée de ses chiens. Elle jura que, si on la relâchait dans l'heure, elle aurait quitté le royaume avant la fin de la nuit. Un exploit qu'on ne lui permit jamais d'accomplir.

Des soldats à l'uniforme flamboyant vinrent la quérir. Elle traversa la ville au centre d'un carré formé par une escorte, puis, sur un sentier de montagne, elle entrevit au détour d'un lacet une forteresse aux reflets de rubis, ornée de festons gravés et d'arabesques peintes. On la conduisit au seuil d'une aile interdite aux hommes, où des servantes lui donnèrent un bain parfumé et brossèrent ses cheveux. Tant de sollicitude à son égard la rendait peu optimiste : plus l'on veillait à son bien-être, plus elle avait à redouter les tourments à venir.

Mais quitte à les affronter seule, se dit-elle, autant les affronter propre et soignée.

Dans un long réfectoire, une myriade de femmes, chacune vêtue d'un sari de couleur différente, formait une fresque aux touches chatoyantes. Toutes avaient été recrutées de force par les services du prince de Kunyamar, maître absolu de la cité, qui exigeait qu'on lui présentât le plus grand nombre de maîtresses possible. En contrepartie d'une nuit passée avec elles, il leur donnait le statut de concubine et s'engageait à les entretenir dans le gynécée, où elles vivaient une vie d'indolence à l'abri de toute précarité. La Française observa ce peuple de femmes oubliées, qui toutes avaient perdu le goût du bonheur, le réconfort de l'espoir, leur estime de l'autre et d'elles-mêmes. L'une d'elles lui dit : *L'éternelle insatisfaction du prince est à la fois une malédiction et une chance car, si vous envisagez cet épisode comme un calvaire, dites-vous qu'il sera de courte durée.*

*

Les chaloupes détruites, marins et passagers rejoignirent le rivage à la nage. Le capitaine avait pris soin d'accoster dans une crique qui semblait déserte, de peur de devoir affronter une population hostile, ou au contraire fort satisfaite de se voir visitée par un navire jaugeant neuf cents tonneaux. Ils foulèrent le sable à pas malhabiles, tels des crabes nés en mer soudain encombrés de leur poids au contact du sol. Les marins attendirent que se dissipe l'ivresse de la terre ferme, les autres durent réapprendre les lois de la gravité. Mousquet en main, des sentinelles furent postées sur une barrière de rochers qui longeait la côte comme une fortification naturelle. Déjà les officiers maniaient sextant et compas, pendant que les passagers, bénissant la terre sous leurs pieds, profitaient un court moment de leur état de rescapés. Le capitaine les convoqua tous.

Le navire étant trop endommagé, la disposition la plus sûre consistait à remonter plus au nord de 200 milles, au comptoir de Saint-Louis, administré par les Français, afin de négocier pour les passagers un rapatriement en Europe, et pour le *Sainte-Grâce* les matériaux et outils nécessaires à sa réparation. Un tollé s'ensuivit, où chacun tenta de faire entendre sa voix, y compris les matelots, bien moins enclins à obéir depuis le naufrage. Pas question d'une expédition si risquée, pas question de rentrer en Europe sans les marchandises. Le débat s'annonçait houleux, bientôt les remous seraient impossibles à contenir.

Le seul à ne pas s'être exprimé décida de quitter cette belle compagnie avant de nouvelles complications. Lassé des jérémiades et des aigreurs diverses, il n'attendait déjà plus rien de la logique de ces gens tout juste sauvés d'une mort certaine et qui déjà récriminaient. Il lui fallait se préserver de cette fâcheuse inclination des hommes à propager la peur autour d'eux afin de légitimer la leur. Il les laissa donc s'alarmer les uns les autres, quitta le campement, s'aventura sur les murailles de roches et se fraya un chemin au travers d'une myriade de manchots, fort occupés à l'ignorer.

Une immense colonie de ces curieux bipèdes se dandinaient, vêtus de noir et blanc comme de petits curés, rangés en cohortes dont eux seuls connaissaient l'ordonnancement et l'itinéraire. Certains gardaient l'œil rivé sur le large comme s'ils attendaient leurs propres marins. D'autres roulaient leurs œufs avec la même application que les mousses leurs tonneaux. D'autres encore se jetaient à la baille, et leurs évolutions dans l'eau, plus gracieuses que sur la terre ferme, démontraient que là était leur véritable élément. Leur étonnante uniformité rendait impossible de différencier un mâle d'une femelle, et pourtant on devinait ici et là des couples à des signes imperceptibles, comme il en est des vieux époux qui se sont tout dit mais dont le mimétisme trahit l'intimité. Se mêlaient à eux d'autres volatiles à la morphologie parfaitement opposée, semblables à des paons perchés sur des échasses, dotés de vraies ailes au plumage rosé et d'un cri rauque proche de celui d'une oie. Il leur arrivait parfois d'enjamber des manchots qui ne leur prêtaient aucune attention, les laissant passer comme des ombres. L'homme qui maintenant escaladait une colline assez haute pour dominer la baie, étonné que deux espèces si différentes puissent coexister, s'interrogea sur les mœurs paisibles de cette immense société, sans doute régie par ses lois et ses hiérarchies, mais où chacun semblait agir selon son bon vouloir sans nuire alentour.

De son poste de vigie, il aperçut l'épave du *Sainte-Grâce*, le campement agité de fourmillements. Et, à l'opposé, une forêt d'un vert vif qui se confondait avec l'horizon. Entre terre et mer, il trouva enfin ce qu'il était venu chercher : une conviction.

À son retour au campement, le conflit qu'il redoutait s'était bel et bien déclaré. Les passagers espéraient reprendre le contrôle du *Sainte-Grâce* en soudoyant quelques matelots, lesquels se voyaient plutôt égorger les négociants afin de s'attribuer leurs marchandises. Les officiers tentèrent un rappel à l'ordre en faisant parler les mousquets, déclenchant la colère de tous. Le capitaine supplia son passager à la faconde magique d'intervenir. Celui-ci répondit qu'il se sentait de taille à affronter un cataclysme mais en aucun cas la stupidité trépidante des hommes. Entre leur sauvagerie et celle de la nature, il avait choisi : il allait remonter séance tenante le continent noir.

*

On conduisit la Française dans un boudoir en tout point conçu pour les ébats, un écrin de soie où trônait, unique meuble, un lit entouré de voilures. Par un moucharabieh en forme d'étoile, elle contempla en contrebas la cité de Kunyamar, avec ses bâtisses pointues en pierre brune, qui de loin évoquaient une rose des sables.

Enfin débarrassé de ses contrariants ministres, le prince se montra, bien décidé à oublier sa charge de monarque auprès d'une inconnue. Proche de la cinquantaine, le physique trapu mais adouci par des traits fins et des yeux clairs, il ôta son turban pour libérer une chevelure abondante et cendrée. D'un geste sec, il lui ordonna de tourner sur elle-même. Elle craignit que le prince ne connaisse que sa propre langue et ne s'exprimât avec ses concubines que par un universel langage du corps. Elle fut soulagée quand il lui demanda dans un français presque affecté de découvrir ses épaules – préparé depuis le plus jeune âge à gouverner, le prince était très informé de l'histoire des États, de leurs usages et de leurs langues. Habituellement, sa procédure consistait à dévêtir chaque corps inconnu pour s'assurer de son absolue banalité, à pétrir ses parties les plus intimes dans un ordre immuable, puis à le posséder séance tenante faute d'avoir su imaginer d'autres raffinements. Son alcôve n'étant plus une promesse de jouissance, il exigeait de voir les femmes s'y succéder afin de leur ôter toute magie et de les punir pour le mystère qu'elles ne lui inspiraient plus.

La nouvelle recrue le supplia de l'écouter raconter les terribles étapes qui l'avaient conduite jusque dans ce palais, son but n'étant pas de l'émouvoir mais de l'alerter sur les dangers de tenir recluse une femme qui, malgré elle, avait ébranlé d'autres souverainetés que celle de Kunyamar, sur la Terre comme au Ciel.

Le prince la pressa d'ôter ses vêtements et lui dressa la liste des sévices encourus par les insoumises – le fouet et le cachot n'en étaient que les plus fades. Elle insista : lui qui se piquait de connaître l'histoire des empires, avait-il entendu parler de la triste fin de Louis le Vertueux qui jadis avait gouverné le puissant royaume de France ?

Le prince, tenté d'appeler sa garde, suspendit son geste : Louis le Vertueux n'avait-il pas succombé à une sorte de gangrène après une interminable agonie qui en avait annoncé une autre, celle de son pays, lequel avait mis un siècle à en guérir ?

Contre toute attente il éclata de rire. Pour échapper à ses assauts, une insolente espérait se faire passer pour une sorcière qui, par ses sortilèges, avait empoisonné les sangs d'un roi, le vouant ainsi à une mort si atroce qu'elle était restée dans les mémoires. Le prince lui demanda de poursuivre son histoire, tout en imaginant à son tour une mort atroce et lente pour cette illuminée qui lui promettait une nuit somme toute plus distrayante qu'à l'habitude.

Et de fait, il l'écouta sans l'interrompre jusqu'aux premières lueurs du jour.

Étrangement, il s'inquiéta moins de la véracité de son récit que de son emphase en évoquant son mari perdu. Cette folle avait menti tout du long mais il était impossible de mettre en doute sa foi indéfectible dans son amant. Elle brûlait d'une passion plus forte que toute affection connue, plus forte que tous les fanatismes, que toutes les peurs de tous les châtiments.

Et le prince se découvrit un ennemi bien plus redoutable que ceux que ses ministres craignaient à leurs frontières.

Madame je vous sais gré de m'avoir instruit. Hier soir, j'allais me contenter d'ajouter un nouveau trophée à mon sérail. Ce matin je sais quelle femme d'exception a franchi ma porte, et sans doute êtes-vous la seule représentante de votre espèce car je possède déjà un spécimen de toutes les autres. Je n'ai nul besoin de savoir si ce mari disparu existe bel et bien ou si c'est un prétexte pour vous soustraire à mes assauts, seul compte le risque insensé que vous avez pris de me défier au nom de la fidélité. Ah la fidélité ! Ce curieux sentiment qu'on prétend assez puissant pour guérir l'insatiabilité des hommes, et dont les femmes semblent s'accommoder faute de s'octroyer les mêmes privilèges. Faut-il être aveuglé par la privation pour en faire un credo ! S'il a jamais existé, votre mari s'est perdu en route, mille morts vous en ont débarrassée, ou bien, plus probable, s'est-il consolé avec les gueuses de passage. Sachez que devant vous se tient un prince de sang, chef suprême de la cité, plus riche que tous ses sujets réunis. Si vous acceptez mon offre de devenir ma favorite, vous bénéficierez de maints égards auxquels aucune ne peut prétendre. Je vous solliciterai bien plus souvent qu'une autre car, quand je me serai lassé de vos charmes, vous viendrez me chanter votre nostalgie de cet être chéri dont le malheur vous a séparée, et je me délecterai de votre langueur, en remerciant perpétuellement les dieux de m'avoir épargné cet asservissement-là, cette belle exclusivité qui crée nécessairement l'amertume.

À cet instant elle comprit à quel point il souffrait, à tant dénigrer la fidélité, ou du moins l'idée qu'il s'en était faite, de cette amertume-là. Elle n'eut pas le temps de réagir qu'il ajouta : *Maintenant déshabillez-vous ou je demande à mes gardes de s'en charger, ce qui vous vaudra à jamais leur irrespect et celui de vos consœurs.*

Devant le tyran condamné à ses errements, elle abandonna toute déférence. *Sachez qu'à l'instant même où vous tenterez de m'embrasser je planterai mes mâchoires dans votre gorge comme le ferait un de mes chiens. S'il vous prend l'envie de m'infliger quelque supplice raffiné pour me faire entendre raison, je cracherai à la figure de vos gardes, je me laisserai mourir de faim, mais la mort me délivrera de votre ignominie avant la prochaine lune. Sachez pour finir que ce mari dont vous vous moquez m'attend quelque part, et que rien ni personne ne saurait retarder mon rendez-vous avec lui, dût-il se produire par-delà le monde des vivants. Car voyez-vous, nous sommes déjà passés par là.*

Habitué à mater les barbares et les tigres, le prince affrontait là un ennemi qui jamais ne se soumettrait. Cet affront resterait comme la marque indélébile de sa faiblesse face à l'adversaire le plus inattendu. Pour envisager la mort avec une telle audace, elle devait avoir vécu, souffert et désiré infiniment plus que lui, dût-il contraindre mille nouvelles concubines.

Jetée dans les caves du palais, elle éprouva pour la première fois dans ces murs une sensation de délivrance.

*

Remonter seul le continent noir ?

Paniqué à l'idée de perdre son passager et inspirateur, le capitaine le mit en garde contre les infinis dangers des jungles, savanes et déserts qu'il allait devoir affronter. Outre les fauves les plus féroces du monde, outre les mastodontes à la force démesurée, on croisait tous les cent pas un serpent d'une espèce nouvelle. S'il survivait à la fièvre tropicale et au mal des marais, il lui faudrait encore traverser un océan de sable, totalement dépourvu d'ombre, qui lui dessécherait le corps avant de le livrer aux scorpions. Avant la délivrance, il s'exposerait à une autre fièvre, où des mirages trompeurs lui feraient entrevoir des sauvages et des cannibales, qui au final n'auraient rien de surnaturel puisqu'ils seraient vrais ! À un dément décidé à entreprendre pareil périple, le capitaine conseillait plutôt de se jeter du haut d'un précipice ou de plonger au milieu des courants pour y trouver une mort certaine et s'épargner ainsi de longs jours de souffrance.

Touché par tant de sollicitude, son passager lui rétorqua que les pièges de la faune et de la flore n'étaient rien en comparaison de la sombre fin qu'on lui préparait ici – il se voyait égorgé dans un hamac ou vendu à des marchands d'esclaves, bien implantés dans cette région du monde. Puis il posa un mousquet sur une épaule, un sac de vivres sur l'autre, accrocha trois gourdes d'eau à sa ceinture.

Il s'engagea dans une forêt aux arbres immenses dont les racines formaient des tentacules plantés dans le sol, et dont les branches étaient si épaisses que leur ombre semblait longue comme la nuit. Il se tira péniblement d'un marigot infesté d'insectes qui eurent le temps de lui dévorer les jambes et la nuque. Puis il croisa une famille de singes au poil roux qui attendaient la fraîcheur du soir sans bouger. Prenant exemple sur eux, il se hissa sur un arbre pour y dormir. Les deux premières nuits furent paisibles mais à la troisième il se réveilla, hurlant, le corps parcouru par une légion d'araignées dont il ne put éviter les morsures. Les sinistres présages du capitaine commençaient à se vérifier, et son sommeil bientôt se peupla de cauchemars où il se voyait périr de la plus absurde façon, aux antipodes de sa terre, loin de sa femme, à qui il avait encore tant à dire. Les frondaisons s'espaçaient, laissant place à une savane aux arbres disséminés. Il apprit à ramper quand, au loin, il apercevait un fauve qui, faute d'une antilope, se serait contenté d'un spécimen d'une espèce inconnue, peu charnue, et la plus lente de toutes. Il lui arrivait aussi de croiser entre deux buissons un serpent embusqué, plus habile que lui dans ses reptations.

Son pas se fit moins volontaire, un poison s'insinuait en lui dont il n'aurait su dire s'il s'agissait d'un venin ou d'un remords. Il fut pris de vertige, ses membres se raidirent, sa vue se brouilla, sa langue lui sortit de la bouche et, dans un dernier écho de sa conscience, il se demanda lequel du moustique, de l'araignée ou du serpent lui avait donné la fièvre. Une bien vaine question puisque le scorpion attendait son heure. Il s'écroula au pied d'un arbre mort et sombra dans la pire des nuits.

*

Enfin sonna l'heure de la sentence. La prisonnière s'attendait à lire dans les yeux du prince une de ces colères qui déclenchent les massacres. Elle trouva tout l'inverse. La détresse avait chassé la morgue, des traits de miséreux se dessinaient maintenant. D'un signe il la pria de s'approcher d'une fenêtre afin qu'elle assiste à un surprenant spectacle.

En contrebas, sur l'étroit chemin qui descendait la colline pour rejoindre la cité de Kunyamar, défilait un interminable cortège de femmes. Toutes munies d'un seul bagage qui contenait étoffes et bijoux, elles quittaient le palais à la lumière des flambeaux tenus tout du long par des soldats. Innombrables, silencieuses, drapées dans leur sari, elles s'engageaient en procession grandiose sur cette pente. Aucune ne se retourna pour jeter un dernier regard vers son ancienne demeure.

La Française comprit ce qui se jouait là d'irréversible. À toutes il avait donné le choix de partir et pas une n'avait désiré rester. Même les plus âgées, pensionnaires depuis vingt ans, avaient préféré la liberté au confort et à la sécurité. Certaines se réjouissaient de retrouver un père, un frère laissé au pays. D'autres, sans famille, resteraient entre elles, amies indéfectibles, et sans doute apprendraient-elles à survivre, ensemble, solidaires. En voyant ses femmes s'empresser de le quitter, le prince tira un premier enseignement : délivrées de leur statut de concubine, elles redonnaient à ce prétendu privilège le juste nom de servitude, et à leur apparente docilité celui de résignation. Il avait suffi qu'on entrouvre la porte du sérail pour que toutes s'en échappent. Elles renvoyaient au visage du maître sa belle condescendance, elles l'invitaient à descendre de son piédestal pour venir s'admirer d'en bas.

Cette décision de les laisser partir – qui promettait de jeter le trouble dans son peuple et de mettre à mal son autorité – était pourtant le prix à payer pour en satisfaire une seule : la plus rétive, la plus sauvage. Puisque l'exclusivité semblait être une vertu capitale, seul ce suprême renoncement saurait la convaincre de rester à ses côtés. Quel autre homme au monde, et sûrement pas ce mari disparu, aurait consenti à pareil sacrifice pour elle ?

Elle se retint de lui empoigner les mains pour lui dire à quel point elle se réjouissait pour lui : en libérant toutes ces femmes, c'était en homme libre, affranchi de ses propres servitudes, qu'il allait désormais mener la suite de son existence.

La suite était toute tracée selon lui, la suite c'était elle, la vagabonde devenue princesse du fait de son incroyable aplomb. Ils gouverneraient à deux, car elle possédait l'abnégation et la fermeté d'une souveraine. Avant la nuit tombée on entendrait retentir dans la plaine les vivats du peuple. Tous les monarques des pays voisins seraient invités afin qu'on leur présente la princesse, y compris les ennemis qui sauraient désormais à qui ils avaient affaire.

Elle assistait, émue, à une métamorphose comme on peut en observer dans la nature mais rarement chez les humains ; le prince s'était débarrassé de son ancienne peau, rugueuse, empesée, pour renaître dans une autre, encore trop tendre.

Votre sacrifice prouve la noblesse de vos sentiments, qu'hélas je ne peux partager, vous en connaissez la raison. Mais bientôt le renoncement à votre sérail va prendre tout son sens. Votre tout récent célibat est une renaissance, et votre vœu d'exclusivité une promesse. Ce bel engouement que vous éprouvez pour moi sera multiplié par mille dès qu'il vous sera retourné par une inconnue. Vous, si impatient d'éprouver de nouvelles sensations, préparez-vous à un séisme, car celui qui n'a pas connu le désir partagé ne sait rien de la véritable ivresse des sens. Cette promise existe, inutile de vous la souhaiter, elle ne tardera plus. Elle aura votre majesté. Et côte à côte, vous régnerez.

Par la fenêtre le prince vit ses gardes remonter vers le palais, leur mission accomplie. Il imagina ces femmes rendues en ville, découvrant ses nouveautés, ses lumières. Certaines avaient déjà retrouvé leur famille, qui répandait la bonne nouvelle auprès des voisins et amis. Il tenta de se remémorer sa dernière occasion de faire tant d'heureux d'un coup et n'en trouva aucune. Il comprit alors que l'Histoire oublierait ses batailles, son règne, sa vie entière dédiée au bien de son peuple, mais l'on se souviendrait à jamais du prince qui un jour avait libéré toutes ses compagnes dans l'espoir de complaire à une seule.

Celle-ci fut reconduite aux portes du palais où patientaient ses chiens. Ils ne manifestèrent aucun contentement particulier en la voyant apparaître. À l'évidence, elle était attendue.

*

Après avoir rampé une éternité dans les plus opaques ténèbres, il avait abouti dans un lieu enchanté, une clairière d'un vert chatoyant baignée d'une tiède lumière blanche, parfumée par la rosée et l'humus, où les arbres chargés de fruits offraient ici et là une ombre apaisante. À pas lents, dans ce jardin des délices il avançait les yeux fermés, la main tendue, espérant qu'une autre s'y glisse, et celle-là ne tarda pas, premier effleurement de féeriques retrouvailles.

Ô ce tendre visage, joues roses, pupilles de braise, sourire grenat, chevelure en cascade sur des épaules menues qui attendaient d'être enlacées. Leur étreinte dura assez longtemps pour que le soleil disparaisse puis revienne, les retrouvant là, immobiles. Ils se parlèrent enfin mais les mots s'étant vidés de leur sens, ils les abandonnèrent. Et puis il voulut voir sa femme nue, entièrement nue, immédiatement et sur-le-champ, innocemment nue, jusqu'à l'indécence. Soudain les arbres prolongèrent et mêlèrent leurs branches pour dessiner un dôme de fraîcheur, un tapis de feuilles se forma à leurs pieds, ils s'y effondrèrent, effrayés par tant de bonheur à venir.

Dans une hutte de paille, deux hommes se tenaient debout, penchés sur un malade tremblant de fièvre. Régulièrement, l'un d'eux remplissait d'eau une écuelle en terre cuite pour le faire boire de force – à voir la quantité de sueur qui ruisselait sur tout son corps, une jarre entière par jour n'y suffisait pas.

Le sorcier, à qui sa tribu prêtait des pouvoirs de guérisseur mais aussi de spirite, était sollicité pour soigner un mal de poitrine, pour lire un oracle ou communiquer avec un esprit, car son vrai talent consistait à rendre l'au-delà familier, rassurant, porteur de messages bienveillants. À ses côtés le griot était chargé de transmettre la tradition orale aux générations à venir. Philosophe et poète, il s'exprimait par des paraboles souvent plus édifiantes que les prophéties du sorcier.

Le chef du village les avait invités à associer leurs savoirs afin de percer le mystère de ce voyageur découvert inanimé au pied d'un arbre, trois gourdes vides à son flanc. En général les hommes blancs, heureusement fort rares, s'annonçaient à coups de fusil pour créer la terreur, qu'ils fussent marchands d'esclaves, missionnaires ou explorateurs. Cette fois l'un d'eux s'était apparemment mis en tête de traverser seul une contrée où les chasseurs se déplaçaient avec une ancestrale prudence. Sommés de le guérir afin qu'il déguerpisse au plus vite, le sorcier et le griot, assez instruits pour identifier les fièvres passagères ou mortelles, se trouvaient bien en peine de statuer sur celle-là. D'autant que les tremblements du malade s'apparentaient à un état étonnamment lascif, et que ses gémissements sonnaient comme des soupirs.

Il se blottissait contre le sein de la belle, consolé d'en avoir été tant privé. Il l'avait déshabillée, couchée sur le sol, retournée en tous sens pour admirer la moindre parcelle de sa peau, il avait besoin de la sentir, de la respirer de la tête aux pieds. Pendant leurs ébats, les murs d'une maison, toute semblable à leur premier foyer, s'étaient dressés autour d'eux et leur lit d'antan les enserrait maintenant, sa vieille courtepointe brodée les enrobait entièrement, là était le centre de leur monde à eux, trop de fâcheux les en avaient éloignés depuis trop longtemps. Ils se firent la promesse de rattraper dans ce lit les siècles perdus et, si une éternité n'y suffisait pas, ils la prolongeraient d'une autre.

Le griot fit remarquer au sorcier cet indéchiffrable sourire sur les lèvres du malheureux, signe d'une fin proche, quand on s'apprête à rejoindre le territoire des ombres, réconcilié après une vie de souffrance. Le sorcier pointa les curieuses reptations de son ventre et les interpréta comme une sorte de danse du départ pour le grand voyage, lente, cadencée, qui semblait procurer un apaisement radieux. Bientôt on entendit sous la hutte les soupirs de plus en plus haletants de l'agonisant, des râles sans douleur, ou bien de ces douleurs dont on ne souffre jamais assez. Le griot et le sorcier se trouvaient devant un cas unique : si toutes les fièvres brûlaient les corps de l'intérieur, qui n'aimerait pas brûler de celle-ci ?

Déchaînés, furieux, les deux amants cherchaient l'obscénité dans chaque geste, se vautraient dans les postures les plus triviales, et chacun d'eux atteignait ce point d'osmose où les parties du corps de l'autre semblent être les siennes, obéissant aux mêmes palpitations et procurant les mêmes plaisirs.

Comment désigner cette fièvre-là ? s'interrogeaient le sorcier et le griot. Comment l'expertiser afin, non pas de l'éradiquer, mais de la répandre ?

Il l'avait retrouvée, elle était bien là, rayonnante, ardente, incandescente, plus présente que jamais, et cette fièvre qui les consumait ne pouvait connaître qu'une seule issue, celle où les deux corps fusionneraient dans un même feu, prêt à tout embraser autour d'eux.

À son réveil, il était seul dans une étrange hutte.

Il toucha son front qui lui parut frais, aperçut au sol une jarre d'eau, en but de longues rasades puis s'humecta les joues et le cou. Il s'aventura au-dehors, guidé par une mélodie délicate et lancinante.

Dans le village s'accomplissait un rite tribal où hommes et femmes chantaient et dansaient autour d'un cercle formé par les enfants et les anciens. Il se laissa envoûter par le chœur aux accents languides de cette parade amoureuse. Le griot se pencha à son oreille pour lui décrire le sens de ce chant et de cette danse, et le visiteur, incapable de comprendre un traître mot, se contentait d'acquiescer, un sourire aux lèvres, afin de ne pas fâcher ses hôtes. En substance on lui expliquait qu'il avait été l'inspirateur de ce rite, qui désormais portait un nom : *la fièvre joyeuse de l'homme blanc.*

Deux riz nature et deux bols de bouillon, 3.75 $, au Café Li, dans l'Asiatown de Cleveland. C'est elle qui a eu l'heureuse idée de faire halte dans le quartier chinois, à peine arrivés en ville. Le seul possible vu l'heure tardive et avec le peu qu'ils ont en poche. Un grand écran diffuse, sans le son, une émission de variétés d'une chaîne de Hong Kong. Dans un coin, cinq jeunes gens jouent aux cartes. Les Français, épuisés après avoir parcouru à pied trente miles dans une banlieue industrielle, n'auraient qu'à poser la joue sur la nappe pour sombrer jusqu'au matin. Sans argent, sans voiture, ce n'est qu'une question d'heures avant qu'on ne les coince.

Soudain elle dresse l'oreille quand un des joueurs de poker laisse éclater son euphorie en ramassant le tapis. À son mari elle suggère l'idée que l'un de ces cinq-là connaît forcément quelqu'un qui pratique dans le coin le prêt usuraire. Malgré la fatigue il laisse échapper un rire, objectant qu'il s'agit là d'une très mauvaise idée. D'une part parce qu'il serait bien maladroit pour des Occidentaux, a fortiori non américains, d'insinuer à des *homeboys* que leur communauté s'est bâtie sur ce genre de spéculations. D'autre part, à supposer qu'on leur présente la bonne personne, celle-ci leur demandera des garanties qu'ils seront incapables de fournir. Sa femme décide de leur poser directement la question, mais dans une langue qu'on parlait dans le sud-ouest de la Chine il y a près de trois cents ans.

Les jeunes gens en oublient soudain quintes et brelans.

*

Le vieil homme habite dans l'Old Chinatown, le quartier chinois historique de Cleveland, déserté depuis la fondation d'un Asiatown en périphérie. En 1920 cet appartement avait été acheté par son père, figure historique du quartier, qui avait aidé à s'établir sur le sol américain quantité de cousins et amis de cousins. Le vieil homme est curieux de cette « long-nez » qui parle la langue de ses ancêtres, la vraie, pas celle qu'on enseigne dans les écoles modernes, mais celle de la province du Yunnan où aujourd'hui encore on récolte le thé noir – thé qu'il prépare maintenant, introuvable dans le commerce, directement envoyé par sa famille restée là-bas.

Le mari, qui ne comprend pas un mot de leur conversation, demande s'il est possible de prendre une douche. Son hôte lui indique le chemin de la salle de bains. Il aime l'idée de rester un moment en tête à tête avec l'étrangère.

Quand il veut savoir pourquoi elle parle le chinois du Yunnan, elle répond qu'elle y a récolté le thé, il y a longtemps : 很久以前，我曾在那里采茶. Elle respire le fumet de la coupelle brûlante puis la porte à ses lèvres. Et affirme au risque de froisser son hôte que ce thé ne vient pas du Yunnan : 此茶并非来自云南.

Il l'invite à chercher elle-même sur l'étagère où sont alignés une dizaine de pots en terre un thé qui selon elle serait plus typique. Amusée par le test, elle fait crisser les feuilles sous ses doigts et les sent : l'une d'elles s'impose. Le vieil homme qui pensait que la vie ne lui réservait plus aucune part d'étrangeté ressent comme une inquiétude. Désigné comme le vénérable par toute sa communauté, il ne se sent porteur d'aucune sagesse face à cette femme qui lui inspire un respect de l'ordre de la foi.

Le mari réapparaît, rafraîchi, d'excellente humeur, et cède la place à son épouse. Sous l'eau chaude, elle pleurerait presque de soulagement. En rejoignant le salon elle s'attarde devant les rayonnages d'une bibliothèque, rien que des livres en chinois. L'un d'eux, dont la tranche tombe en lambeaux, attire son regard : *Légendes d'un buveur de thé*. Dans la table des matières elle s'arrête sur un titre : 被砍头的女人. Elle traduit pour son mari : *La femme à la tête coupée*.

Leur hôte précise : *C'était une Française, comme vous !* Il ne peut s'empêcher de raconter l'histoire de la sainte protectrice des récoltes, aussi célèbre pour un petit Chinois qu'un conte de Perrault ou de Grimm pour un Occidental. En l’écoutant résumée en quelques phrases, l’étrangère comprend que son histoire a enfin trouvé sa forme définitive, patiemment tissée par le peuple lui-même, capable d’atteindre le bon équilibre entre le vraisemblable et l’extravagant, de gommer les aspérités et de créer les bons enchaînements. Elle écoute son hôte sans l’interrompre, sinon à la toute fin où elle s’exclame : 非常糟, 糕他把我们的头给砍了.

Très mal, il nous a coupé la tête !

En volant sa réplique au vieillard, elle se la réapproprie, trois cents ans plus tard.

Les fuyards ne cherchent pas à en savoir plus sur les affaires du vieil homme, ils veulent juste son aide. Et lui ne les laissera pas repartir dans le même état misérable qu’à leur arrivée. Ces deux-là ont encore une longue route à parcourir.

De tous les animaux croisés dans la jungle et la savane, le plus curieux d'entre tous était celui qu'il chevauchait maintenant, doté d'une bosse qui sans doute expliquait son exceptionnelle tempérance, d'un long cou en S, de jambes étiques mais rapides, d'une bouche adaptée au mors comme celle du cheval. De surcroît il semblait connaître la route – un petit miracle au milieu d'une immensité de sable sans le moindre relief –, du moins ne ralentissait-il jamais sur le coup d'une hésitation. Son cavalier se laissait ainsi porter, entièrement couvert d'une robe de couleur claire et d'une sorte de turban de coton roulé de façon savante. Il avait appris que sa survie dans ce territoire aride dépendait à la fois de son costume et de sa monture. Les deux lui avaient été offerts par cette tribu qui avait soigné sa fièvre, dont les chants et les danses vibraient encore dans sa mémoire.

Au fil des semaines il devenait comme un citoyen du désert, conscient de son infinité, respectueux de sa suprématie, gagné par une lancinante philosophie. Au lieu de combattre les continuels dangers de la nature, il apprenait à ne plus lutter contre les éléments mais à leur obéir pour s'en faire des alliés. Protégé de la morsure du soleil sous sa robe, des rafales de vent sous son masque, il eût paru aux yeux d'un natif de son pays comme un fantôme drapé dans son suaire, lévitant sur ce territoire d'un ocre à perte de vue. Sans doute n'était-il plus vraiment un être matériel mais un esprit en marche, progressant vers un zénith. Parfois il redevenait humain quand il saluait une caravane de passage, ou quand le dieu du désert plaçait sur sa route une oasis, où il séjournait trois nuits, le temps de se gorger d'eau et d'ombre. Avant de reprendre la route il remerciait ce dieu-là comme le plus grand de tous, le priant de lui refaire bien vite le même cadeau.

Un mois entier passa sans que le paysage varie d'une seule touche. Il en oublia qui de sa monture ou de sa propre main maintenait le cap mais, contre toute attente, jamais il n'en douta.

*

Ainsi pensait-elle avoir connu le froid? Jeune fille, elle s'était imaginé que personne au monde n'avait souffert comme elle de ce vent glacé au sortir de sa couche. Qui aurait cru qu'un jour elle se souviendrait avec nostalgie des hivers de son enfance, si cléments, si nuancés.

Elle traversa des pays entiers sans pouvoir les différencier du fait de leur nature étale, une steppe longue de six mois, tantôt verte et grasse, tantôt brune et pelée. Précédée de ses chiens, un œil sur sa boussole, elle connut des climats tempérés dont le jour et la nuit semblaient d'une égale tiédeur. Mais plus elle frayait en direction du nord-ouest, plus elle adaptait sa cadence, sa tenue et son régime à des températures de plus en plus sévères. Aux nombreux peuples croisés en chemin, habitués aux nomades et coutumiers du troc, elle emprunta les techniques de survie, elle s'inspira de leur cuisine. Un jour elle demanda à une poignée d'indigènes de lui confectionner une tunique en fourrure et une toque avec la peau d'un yak sauvage chassé par ses chiens, en échange de sa chair. Aux premières neiges, elle se fabriqua un traîneau comme il en passait parfois, et s'étonna de voir comment ses chiens s'adaptaient naturellement à l'attelage. Elle se remémora les avertissements du notable de Shingsao qui les lui avait confiés : *Considérez-les comme des partenaires, misez sur la confiance, et ils sauront vous ramener à bon port. Toutes vertus qui vous semblent bien abstraites aujourd'hui, vous découvrirez leur bénéfice en cours de route.* Et de fait elle en bénéficiait chaque jour, et plus encore dans les contrées de haute neige et de glace. À voir sa silhouette de fourrure noire glisser sur cette étendue blanche, il était impossible de dire s'il s'agissait d'un homme, d'une femme ou d'un jeune ours. La plupart du temps elle dormait blottie entre ses deux chiens, bercée par leurs ronronnements. Parfois dans le décor surgissait une cahute qui brillait au loin comme un petit châtelet aux reflets d'argent, une sorte de cadeau dont on ne connaissait pas le donateur mais que les voyageurs remerciaient de tout cœur. Elle s'y installait avec ses chiens, tout étonnés de passer une porte, de dormir sous un toit. Elle les traitait alors comme des invités et retrouvait des gestes anciens ; c'était à elle de s'occuper d'eux, de les choyer, de les remercier de leur dévouement et leur courage.

En longeant les massifs du Caucase par le sud, décrits comme infranchissables, elle se perdit de longues semaines à la recherche de la mer Noire, sa carte ne correspondant plus en rien aux territoires qu'elle traversait. Sans le savoir elle remonta trop haut, là où sévissaient des mercenaires réunis en bandes si vastes qu'elles constituaient des communautés entières. Aucun voyageur égaré sur leur territoire n'aurait pu prétendre leur échapper, et moins encore une femme seule avec deux chiens pour uniques alliés.

Les Cosaques, naguère protecteurs et guides des marchands et des caravanes, préféraient désormais les piller. Leur réputation attirait à eux les aventuriers, fugitifs et parias, formant ainsi de véritables clans régis par leurs propres lois. Pour son grand malheur, la voyageuse et ses chiens croisèrent trois de ces cavaliers maudits, les sacoches pleines de leur dernier forfait, déjà prêts à en commettre un nouveau. Ils firent demi-tour en apercevant cette silhouette noire lancée sur son attelage, tentant d'éviter les failles du terrain. Elle fut vite encerclée par les hommes, dont l'œil s'alluma soudain en découvrant une femme cachée sous cette fourrure.

Faute d'un butin substantiel, ils allaient se payer de leur traque en violentant la belle imprudente. Pour la terroriser, ils éclatèrent d'un même rire qui se perdit dans un écho. Ils perçurent en retour un grondement diffus qui leur ôta tout sens du sarcasme.

Le feulement des chiens évoquait celui des fauves à l'approche de la viande et du sang ; les Cosaques retardèrent le moment de poser le pied à terre. L'un d'eux porta la main à son sabre, un autre donna un ordre, sans doute trop tard. Les chiens avaient planté leurs crocs dans la panse des chevaux qui hennirent de terreur et se cabrèrent à en faire chuter les cavaliers. Encore hébétés par la violence de l'attaque, ils agitèrent leur sabre sans savoir où frapper et affrontèrent à leur tour la rage des chiens. Leur maîtresse courait dans la rocaille, poursuivie par le chef hurlant des menaces de mort, laissant ses soldats se charger des deux pires adversaires croisés depuis longtemps. Un des hommes lâcha son sabre pour un poignard, mais il eut beau taillader les flancs d'un molosse, il eut la gorge arrachée, et il titubait maintenant, les mains sur le cou, tentant de contenir le sang qui giclait par gerbes. L'autre, la main broyée par la mâchoire du chow-chow, avait ramassé une pierre et la fracassait sur son crâne pour le faire lâcher prise ; il y parvint enfin mais fut mordu au bas-ventre et poussa un cri de supplicié. Au loin, la femme courait toujours, vite rattrapée par le soudard, qui la frappa au visage et la maintint prostrée dans la plus vulnérable des postures tout en défaisant la boucle de son ceinturon. Surgit alors une créature moribonde, le poil ruisselant de sang, lardée de coups de couteau, cherchant à délivrer sa maîtresse. À l'agonie lui-même, le chien trouva la force de mordre le monstre au visage, lui arracha une tempe, puis retourna vers la dépouille de son frère pour mourir à ses côtés.

Dans la steppe, cinq corps gisaient à terre. Deux d'entre eux avaient été des âmes nobles, capables de loyauté, poussés par une force qui les dépassait. Les trois autres étaient de simples animaux morts.

La femme tenta de panser ses plaies sans en avoir la force et erra dans la nature où déjà tombait la nuit. Elle redouta que son bras ne se fût fracturé dans la lutte. Toutes les peurs à la fois l'habitaient, celle de mourir de ses blessures, celle de ne pas finir le voyage, celle de ne pas retrouver le seul être qui eût valu la peine d'endurer tous ces tourments. À l'aube elle vit se découper les contours d'une bourgade, sans même savoir le nom du pays dont elle dépendait. Dans toutes les langues qu'elle connaissait, elle s'enquit d'un hôpital, un asile ou même un mouroir. Une villageoise, saisie par la vision de cette femme épuisée et blessée, sa tunique déchirée pour en faire des bandages, l'abandonna au pied d'une austère bâtisse sans attendre qu'une porte s'ouvre.

*

Un matin, l'éternel horizon de sable se teinta de bleu turquoise. Le vent brûlant céda à une brise du large, fraîche et iodée, qui ravivait le corps du voyageur mais aussi son esprit engourdi par une gangue de chaleur.

Une fois rendu dans la ville de Tanger, d'où l'on devinait au loin les contours de l'Espagne, il revendit sa monture pour se payer un passage jusqu'au rocher de Gibraltar, administré par les Britanniques.

Là, il retrouva des langues familières, des uniformes, des commerces et des usages oubliés durant les longs mois de son expédition saharienne. En s'approchant de la capitainerie des navires au long cours, il lia connaissance avec une poignée de gentilshommes officiant pour le compte de la Compagnie Française de Commerce et d'Échange. Ils s'étonnèrent qu'un Bédouin parle leur langue, mais ils s'étonnèrent plus encore quand celui-ci se déclara rescapé du *Sainte-Grâce*, parti des Amériques et dérouté par la tempête.

Le *Sainte-Grâce* ? Disparu corps et biens depuis presque un an ? Certains prétendaient qu'il avait sombré en mer, d'autres soutenaient la thèse de la mutinerie, d'autres encore affirmaient que le capitaine et son équipage, unis dans la malversation, avaient changé de cap vers les mers du Sud afin d'y revendre la cargaison et le navire lui-même. L'homme du désert raconta ce qu'il était advenu de l'embarcation, soumise au déchaînement de l'océan, échouée à quelques milles de Saint-Louis, jusqu'à cet épisode peu glorieux où officiers, passagers et matelots s'étaient livrés une lutte indigne. Si aberrant que parût son récit, il n'en était pas moins authentique à en juger par les multiples détails fournis, noms des officiers et nature de la cargaison. On pouvait remettre en question la santé mentale d'un individu capable de braver les jungles et traverser les déserts, mais il était à l'évidence le seul témoin de la destinée du *Sainte-Grâce*.

L'un des gentilshommes lui proposa d'embarquer avec lui sur le *Marie-Mère*, en partance pour Saint-Malo dès le lendemain matin, afin d'y retrouver l'armateur du *Sainte-Grâce* et de l'instruire sur son bateau perdu. Ainsi, nul besoin de jouer les marins de fortune, il lui suffirait de prendre place dans une cabine et de s'y reposer après son étonnante traversée.

Plein de gratitude il serra la main de ses bienfaiteurs qui l'invitèrent à fêter leur accord dans une taverne anglaise, où l'on trouvait une bière d'excellente facture et une clientèle de bonne compagnie. Une heure plus tard, la chope à la main, ils trinquaient à ciel ouvert sur une grande place où des saltimbanques avaient garé leur roulotte et dressé une scène pour y jouer une pièce qu'on annonçait plaisante et gracieuse. Pris d'une légère ivresse, l'homme du désert, redevenu lui-même, remercia ses nouveaux amis avec une touchante sincérité mais s'interrompit au roulement de tambour qui ouvrait le spectacle. La troupe étant anglaise, il craignait de ne rien comprendre à l'intrigue de la pièce. Il sut d'emblée qu'il se trompait en voyant apparaître une comédienne habillée en paysanne, les bras chargés de fleurs.

Sa démarche chaloupée amuse les spectateurs. Un lièvre mort à la main, arrive un pauvre braconnier. Il prend des poses fatiguées mais se sent tout revigoré en apercevant la demoiselle qui attend qu'on la remarque. Leurs regards se croisent, ils se tournent autour, leur gestuelle affectée annonce le badinage. L'homme pose un genou à terre, tourne un compliment aux accents de roucoulade, et la femme, pâmée, répond à tant d'amabilité en incitant son admirateur à plus de fougue. Les embrassades ne tardent pas, et avec elles les hourras de la foule. Le couple laisse libre cours à ses emportements mais il est rappelé à l'ordre par divers importuns, joués par un même acteur qui se change à la va-vite hors de scène. Tour à tour un gendarme, un seigneur, un médecin, un prêtre, un sorcier ou un collecteur d'impôts se proposent de calmer leur ardeur mais en vain, à la grande joie du public. Un nouveau roulement de tambour annonce un rebondissement : les deux tourtereaux se retrouvent devant un roi sur son trône. La poudre blanche appliquée sur ses joues fait ressortir des cernes verts. À ses gestes las et ses halètements, on le sait souffreteux et de méchante humeur. Il bondit hors de son trône pour soudain s'effondrer d'apoplexie, provoquant l'hilarité générale. L'acteur réapparaît coiffé d'une capuche de bourreau, la hache à la main. À la liesse se mêle le frisson des exécutions capitales. Les époux agenouillés implorent la grâce des spectateurs. Certains accordent le pardon, d'autres réclament la mort. Par un saisissant effet de trucage comme en usent les magiciens, deux têtes tombent sur la scène, provoquant l'effroi. Au son d'une harpe surgi des coulisses, on déroule une fresque de nuages en guise de décor. Les amants, leur tête à nouveau sur les épaules, s'interrogent sur les mystères du lieu. Sur le trône du roi malade siège maintenant un personnage drapé dans une toge, doté d'une longue barbe blanche, applaudi par un public toujours friand d'allégories. Clément, Dieu les renvoie sur Terre en promettant que plus rien dorénavant ne les séparera.

Tonnerre d'applaudissements. Un rappel, un autre, puis un autre. Un unique spectateur, les bras ballants, revenait lentement à lui, cachant sa stupéfaction à ses compagnons. En assistant à certains épisodes de cette étrange parabole, il avait éprouvé la sensation de les revivre, et avec eux, la honte publique de naguère. Quel homme au monde pouvait prétendre avoir vu un jour sur scène se dérouler l'histoire de sa vie ? Qui ici-bas était préparé à voir son âme ainsi mise à nu en public ? Par quelle étrange contrefaçon du destin ce coup de théâtre avait-il été possible ? Comment imaginer tous les drames de son existence résumés sous l'angle de la fable, caricaturés jusqu'au grotesque ? Son amour pour sa femme : une gaudriole. L'ire du roi malade : une funeste pantalonnade. L'exécution publique : un numéro macabre. Le courroux divin : une bondieuserie. L'épilogue : un dénouement mensonger.

Tant de questionnements appelaient une réponse séance tenante. À peine démaquillés, les comédiens démontaient déjà la scène et le décor. Étant attendus le lendemain sur une autre place, ils allaient passer la nuit sur la route. Néanmoins ils prirent le temps d'accueillir un admirateur, visiblement ému, qui leur demanda si la pièce portait un titre et si l'un d'eux en était l'auteur. « *Les mariés malgré eux* », lui répondit-on, *l'auteur, Charles Knight, vit à Londres et donne ses pièces à jouer au Pearl Theatre. Nous l'y avons rencontré à la création de celle-ci afin qu'il nous en confie la tournée.*

Avant de les quitter, le visiteur ne put se retenir de leur donner quelques indications de jeu. Au comédien gesticulant qui jouait son rôle, il dit que tous les événements décrits ici avaient été affrontés dans la réalité dans le silence de la stupeur et du recueillement. Il reprit celle qui jouait sa femme sur ses minauderies et ses coquettes simagrées, car la vraie bien-aimée de cette fable était d'une tenue et d'une dignité exemplaires. À l'interprète du roi, il soutint que Louis le Vertueux n'avait pas été malade du fait de sa cruauté, mais cruel du fait de sa maladie, et là se trouvait la clé de son rôle. Et au même acteur, qui jouait ce Dieu à la barbe de laine, inspiré d'un Neptune ou d'un Zeus, il affirma que l'Éternel ne pouvait se résumer à des sentiments humains pour les avoir créés Lui-même. Ou bien les incarnait-Il tous à la fois, et l'acteur le plus expressif du monde ne saurait y prétendre.

À la table des gentilshommes, on battit le rappel : l'heure était venue de prendre un peu de repos avant d'embarquer sur le *Marie-Mère*. *Je ne serai pas du voyage*, leur annonça alors leur nouvel ami. Qui cessa dans l'instant d'en être un.

*

Le lit était bas, bancal, dur sous les reins, recouvert d'un drap déchiré et d'une couverture poussiéreuse. Mais c'était un lit. La salle, longue et haute, abritait une centaine de mourants et autant de malades ; la plupart étaient alités, les autres claudiquaient, crachaient et vociféraient pour tromper l'ennui et les douleurs. Les infirmes évitaient les scrofuleux, les phtisiques repoussaient les galeux, comme si chaque maladie constituait une caste qui méprisait toutes les autres. Des infirmières calmaient tout ce petit monde par des décoctions sédatives ou, faute de mieux, des paroles de réconfort. Un imposant samovar posé au milieu de la salle était l'objet de toutes les attentions. On le vénérait comme une manne divine, on s'y désaltérait comme à une source, on s'y réchauffait quand les murs luisaient de givre.

Aux confins du royaume de Géorgie et de l'Empire ottoman, sans cesse agités par les guerres et les déchirements, l'hôpital de Svilensk avait été épargné depuis un demi-siècle parce qu'on y recueillait les soldats meurtris, d'où qu'ils viennent et quelle que fût leur armée. Un des quatre pavillons que comptait l'établissement leur étant dévolu, ils y séjournaient le plus longtemps possible avant de retourner au combat. Le mot asile y prenait tout son sens puisqu'il désignait, pour les soldats et les civils, à la fois un lieu de repos et un fief inviolable comme l'étaient les églises et les ambassades. Un véritable petit État dans l'État, une enclave dans la ville de Svilensk, fort occupée depuis un siècle à lutter contre les invasions.

Le bras toujours en écharpe, ses plaies à peine refermées, la belle nomade préparait déjà son départ. *Ne sors pas, malheureuse !* lui crièrent ses camarades moribonds, avouant là leurs propres craintes du monde extérieur. Par égard pour eux, elle ne leur cacha rien de ses mésaventures passées ni de sa hâte de rentrer au pays.

Au matin, deux infirmiers la conduisirent de force, non pas aux portes de l'hôpital, mais dans le pavillon voisin, le plus mystérieux, le plus redouté des quatre.

On y avait regroupé les déments, les aliénés, les convulsifs, malades des nerfs et de l'âme, femmes et hommes de tous âges réunis dans une cacophonie de folie comme cent instruments d'un monstrueux orchestre, où la rage côtoyait le délire, qui frayait avec l'obsession. À la différence des autres souffrants, regroupés par catégories, ceux-là étaient livrés à une cruelle anarchie car tous faisaient preuve d'une rare individualité, tous cherchaient à se distinguer, tous méprisaient les stigmates de l'autre, tous s'indignaient de cette promiscuité d'agités à laquelle on les contraignait, tous se demandaient pourquoi on les retenait ici. Pour eux, l'hôpital de Svilensk ne représentait en rien un refuge mais une prison, dont les infirmiers étaient des geôliers, et dont le médecin-chef, autorité absolue, était désigné comme l'*homme aux clés*.

Curieusement, le médecin en question ne renâclait pas de s'entendre surnommer ainsi, mais dans un sens bien différent que celui donné par ses malades. En aucune manière il ne se voyait comme le directeur tout-puissant d'un gigantesque cachot mais comme un chercheur dont les travaux sur les dérangements nerveux allaient bientôt soulager l'espèce humaine. Et pour pénétrer dans les antichambres secrètes de l'esprit, ses greniers et ses oubliettes, il lui fallait chercher des clés, symboliques mais libératrices. Il se targuait auprès de ses éminents confrères d'en posséder plusieurs – certains le prenaient pour un précurseur dans son domaine, d'autres pour un fou lui-même. Et en attendant de mettre au point une terminologie savante à base de latin et de grec, le médecin tentait de caractériser chacun de ses patients par un seul et unique vocable.

L'un d'eux, très sensible aux astres de la nuit, d'humeur changeante au point de parfois disparaître dans un abîme d'absence, était désigné comme le *Lunatique*.

Perpétuellement béate, l'*Illuminée* montrait aux autres la voie de la révélation mystique.

Un jeune homme au regard sombre de poète, souffrant d'une incurable langueur qui le tenait prostré sur sa paillasse, était le *Mélancolique*.

Il suffisait à l'*Irascible* de deviner un regard posé sur lui pour déclencher instantanément sa colère.

Le *Persécuté* soupçonnait quiconque de fomenter des complots à son égard et tentait de les déjouer avec une étonnante imagination.

Pour le *Lubrique*, toute phrase entendue, même la plus innocente, évoquait quelque paillardise.

Le *Versatile* abritait en lui deux individus : l'un était d'humeur joyeuse, aux confins de l'euphorie, l'autre était irritable, les deux se livrant un combat sans fin.

Fort peu d'humeur à passer pour des sujets d'étude, les malades acceptaient pourtant les désignations dont on les affublait, car tous avaient perdu leur état civil au moment de leur internement.

En pénétrant dans l'enceinte des fous, la nouvelle patiente s'inquiéta d'un malentendu. Plus l'on tardait à la libérer et plus elle s'agitait, au point que l'on dut l'attacher à son lit, offerte à la curiosité des résidents, comme une proie blessée entourée de chacals et de vautours. L'*homme aux clés* arriva enfin, enchanté de s'entretenir avec celle qui allait lui ouvrir un nouveau champ d'étude.

La veille, pendant qu'il visitait un confrère dans le pavillon voisin, il avait repéré un petit attroupement autour d'une convalescente qui racontait comment elle avait échoué dans l'hôpital de Svilensk. Il y était question d'un couple d'amants qui refusait de se soumettre aux lois, d'un mariage forcé, du courroux d'un roi à l'agonie, et d'une fuite éperdue à travers le monde pour retrouver l'autre soi-même. Affabulation pure, mais passionnante par sa construction, par sa logique inversée, par les paraboles qu'elle véhiculait. Une véritable manne pour un praticien, un cas qui à lui seul tenait de la confusion mentale et des désirs inassouvis. La malheureuse était représentative de ces tourments de la femme liés à sa conformation physique, quand son instinct la pousse à commettre l'acte de chair tout en redoutant de bafouer les principes moraux. La description de sa claustration volontaire avec l'amant rêvé était particulièrement significative : le peuple se révélant impuissant à faire respecter les bonnes mœurs, il s'en remettait au roi, garant suprême de l'interdit, lequel, décrit comme mourant, échouait aussi à censurer leurs turpitudes. La façon dont la malheureuse énonçait sans le savoir la dictature de ses sens était en tout point remarquable, de même que la multiplicité des agressions viriles auxquelles elle avait résisté de façon si farouche au cours de son périple. Un chapitre entier du traité qu'il consacrerait bientôt aux affres de la luxure serait basé sur le témoignage de cette folle. Afin d'en structurer la logique, il lui fallait traquer les failles de son récit et s'y engouffrer jusqu'à en atteindre les racines. Et qui sait si, à force de patience et d'écoute, il n'allait pas atténuer certaines de ses angoisses. Et pourquoi pas, la guérir. Il disposait de tant d'années devant lui.

*

Le seul rescapé à ce jour du naufrage du *Sainte-Grâce* avait refusé d'embarquer sur le *Marie-Mère* pour des raisons qu'il avait préféré taire aux officiers de la Compagnie Française de Commerce et d'Échange. Comment expliquer un mystère auquel il ne comprenait rien lui-même ; ces *Mariés malgré eux*, farce à laquelle tous avaient bien ri, n'étaient rien de moins que le résumé de ses propres mésaventures, décrites l'une après l'autre avec tant de précision que le hasard n'avait rien à y voir.

Je pars pour Londres, avait-il dit à ses bienfaiteurs, les laissant un peu plus perplexes. En refusant une des rares mains qu'on lui avait tendues, il s'était retrouvé à nouveau seul et sans le sou. Mais, si étrange que cela fût, des théâtreux lui avaient apporté la preuve que rien de ce qu'il traversait n'était l'expression de sa folie. Comment l'auteur de la pièce s'était-il approprié son histoire ? Avait-il rencontré en personne celle qui, hormis lui-même, en connaissait le détail ? Savait-il où elle se trouvait maintenant ?

Ce mystérieux Charles Knight qui avait fait de lui à la fois un bouffon et un héros, sans jamais l'avoir rencontré, détenait les réponses.

Le vagabond qu'il était redevenu travailla dans le port de Gibraltar, où l'on se préparait à une escale du *Northwoods,* de retour en Angleterre. Durant trois longs mois, il s'infligea la compagnie d'une poignée de dockers, rogues et soiffards, dans l'unique but de se familiariser avec les tournures d'une langue qui bientôt lui serait indispensable.

Débarqué dans le port de Londres, il se sentit précipité dans un nouveau siècle, foisonnant, impatient, dont il ne connaissait ni les convenances ni les règles de survie. Après avoir parcouru la moitié du monde, il quittait un océan pour un autre, tout aussi agité, rythmé par des marées humaines qui se déversaient entre des immeubles hauts comme des lames de fond. À chaque coin de rue, on cherchait à lui vendre un bien qu'il n'aurait pu s'offrir, à le dépouiller d'un autre qu'il ne possédait pas, on voulait l'attirer dans un piège, le convertir à une bonne parole, l'embaucher pour une basse besogne. Et sa seule manière de répondre à tant de sollicitations déconcertait les uns et les autres : *Je veux aller au théâtre*.

Par-delà un dédale de rues exiguës il aboutit sur une grande place, bourgeoise et claire, bien entretenue, où les cochers, occupés à lustrer leur voiture, patientaient en ligne. Le Pearl Theatre s'imposait, tout de pierre blanche, comme un bâtiment officiel qui donnait une idée de l'estime accordée dans ce pays à l'art dramatique. Il lut sur une affichette qu'on donnerait ce soir, à six heures, *Lucius and Isaura*, une pièce en vers, d'un auteur hélas différent de celui qu'il cherchait. Au lieu de découvrir la ville, ses mystères, ses turbulences, il préféra attendre assis sur les marches de cette belle bâtisse blanche, comme un mendiant trop fier pour tendre la main. Pour la toute première fois son espoir de retrouver sa femme se logeait dans un lieu bien réel, fréquenté par un homme bien vivant qui leur avait volé leur histoire.

Le soir venu, après s'être payé une place dans la fosse, il fureta dans la pénombre des coursives à la recherche d'un employé du Pearl assez aimable pour le renseigner. Le directeur en personne, pensant qu'il s'agissait d'un homologue venu pour affaires, consentit à lui répondre. *Les mariés malgré eux* avait bien été créé chez lui, mais que dire de Charles Knight sinon qu'il était le plus capricieux, le plus vénal, le plus imprévisible de ses auteurs ? Il vivait à Londres mais changeait régulièrement de pension, disparaissait parfois des mois avant de revenir avec un nouveau texte. Il participait aux répétitions pour veiller à ce que les acteurs ne laissent pas trop de place à leur improvisation puis, la pièce une fois jouée, il passait prendre sa part des recettes chaque dimanche. Le directeur ajouta que Charles Knight assistait à la première des pièces de ses confrères, plus pour surveiller leur inspiration que pour les féliciter. D'ici trois jours le Pearl Theatre allait créer un vaudeville, *Le bandit amoureux*, genre fort prisé ici, dont on espérait un triomphe.

*

Chaque jour, l'*homme aux clés* soumettait sa nouvelle patiente à un interrogatoire de plus en plus pernicieux : ce prétendu mari, décrit avec tant d'affection, avait-il seulement un défaut, était-il en proie à l'erreur ? Ou, tout à l'inverse, était-il invulnérable, doté de pouvoirs surnaturels ?

Ainsi, un monsieur savant et bien mis, poli jusqu'à la condescendance, doux comme on l'est avec des enfants, saccageait le souvenir de son homme. Avec un soupçon d'ironie, un brin de pitié, une lueur d'empathie, il osait mettre en doute jusqu'à son existence. Son mari devenait un être immatériel, une désincarnation, un esprit protecteur mais bien peu efficace quand arrive l'heure de la séparation.

Elle qui avait tant aimé, tant souffert, tant lutté, se voyait sommée de prouver que son couple n'était pas le fruit d'un rêve hideux, celui d'une femme délaissée, gouvernée par sa raison vacillante.

Mon petit docteur, pensa-t-elle, *si comme moi tu t'étais agenouillé devant Louis le Vertueux, devenu Louis le Fou, tu aurais vu de tes yeux ce qu'est la vraie démence, et non celle de pauvres hères contrariés par l'existence. En le soignant, tu aurais endigué un cataclysme de colère, tu aurais sauvé quantité de vies détruites par ses châtiments royaux. En te mesurant à son cas, et non à celui d'une simple femme qui veut rentrer chez elle, tu aurais fait preuve de courage. Oh le beau sujet d'étude qui aurait enrichi ton savoir, justifié ton exercice, et ajouté un chapitre à ton grand livre des malsaines passions : la récompense d'une vie passée à étudier les dépravations de ton prochain. Devant le roi dément, tu aurais toi aussi connu la peur, l'impuissance, la vulnérabilité qu'éprouvent les aliénés de l'hôpital de Svilensk devant le petit suzerain que tu es, et sans doute serais-tu aujourd'hui un praticien plus humain. Toi qui prétends tout connaître des précipitations ner-*

veuses, qu'aurais-tu dit si ce patient-là t'avait condamné à mort ? En attendant le coup de hache, aurais-tu pensé : « Après quelques années de traitement ce patient pourra recouvrer son bon sens » ?

À son retour dans la chambrée, l'*Illuminée* l'attendait à son chevet pour lui demander si désormais elle portait un nom, choisi par l'*homme aux clés*. La Française affirma que jamais elle n'accepterait qu'on réduise à un seul mot son rêve et sa quête. Mais elle n'aurait pas à subir une telle infamie car elle aurait quitté les lieux avant.

Quitter les lieux ? Tous en avaient rêvé, mais tous y avaient renoncé, et l'*Illuminée* en expliqua la raison. Au lieu de faire naître une conscience collective, l'idée d'une insurrection exacerbait l'individualisme de chacun, les rendant bien incapables de suivre une directive commune ; les angoisses des uns affrontaient les obsessions des autres, transformant le pavillon entier en un fatras de fous furieux livrés à une bataille d'ego – un spectacle qui confirmait à leurs gardiens les raisons de les retenir ici.

La nouvelle se mit en tête d'organiser elle-même la fronde. Elle allait ouvrir une brèche dans cette prison où l'on retenait non point des coupables mais des excentriques et des miséreux, dont la punition, en plus de l'enfermement, consistait à être étudiés comme des phénomènes. Et afin de n'en laisser le soin à personne d'autre, elle imposa le nom qu'elle porterait ici : on l'appellerait désormais la *Séditieuse*.

Plutôt que d'essayer de les rassembler par un

même mot d'ordre, il lui sembla plus judicieux de laisser chacun de ses congénères choisir un complice, selon affinités. Un premier en convaincrait un deuxième, qui se chargerait d'en convertir un troisième, et ainsi de suite jusqu'à former une chaîne dont chaque maillon aurait désigné le suivant.

Mettant son principe en application, la *Séditieuse* se dirigea vers l'*Illuminée*, qui voyait dans l'arrivée de la Française une sorte d'archange venu de loin pour les sauver du joug de l'oppression. Afin d'entraîner un troisième conspirateur, l'*Illuminée* s'adressa au *Versatile*, dont elle était une des rares à distinguer le versant aimable.

Flatté que la rébellion ait besoin de lui, celui-ci s'entretint discrètement avec le *Lunatique*, tous deux étant soumis à des cycles, certes différents, mais qui rendaient parfois leurs humeurs compatibles.

Le *Lunatique* consentit à descendre de sa planète pour rejoindre celle du *Mélancolique*, fort proche de la sienne.

Le *Mélancolique*, distrait de sa tristesse par un projet si extravagant, s'en ouvrit à l'*Imposteur*, que l'idée d'un soulèvement excita, car il se prétendait l'héritier d'une dynastie de guerriers et de conquérants.

L'*Imposteur* en référa à la *Candide*, qu'il estimait au plus haut point parce qu'elle était la seule à croire à ses élucubrations.

La *Candide* en souffla mot au *Lubrique*, qu'elle pensait digne de confiance car elle ne comprenait aucun de ses sous-entendus égrillards – qu'elle prenait pour de vibrants hommages à sa personne.

La boucle fut bouclée un soir où celui qu'on dénommait l'*Incantateur* se rapprocha de la *Séditieuse* pour l'instruire d'un projet secret qui bientôt allait abattre les murs.

*

Le jour de la première du *Bandit amoureux*, le Français dépensait ses derniers pennies dans une place au Pearl Theatre. Mais il fit un bien piètre spectateur ; à nouveau il inspecta les balcons, s'introduisit dans les loges, fureta dans les coulisses, où, enfin, il aperçut, fondue dans le décor, une silhouette drapée dans une cape moirée. Une figurante habillée en courtisane de bas quartiers, attendant son entrée en scène, confirma qu'il s'agissait bien du redoutable, de l'obscur Charles Knight.

Le Français, nerveux à en faire peur, profita des applaudissements de l'entracte pour l'aborder. Il fut contraint d'exposer un préambule dont il n'avait finalement que faire au lieu d'aborder les questions essentielles : *L'avez-vous vue ? Lui avez-vous parlé ? Est-elle en bonne santé ? A-t-elle gardé le sourire que je lui connais ? Où se trouve-t-elle aujourd'hui ? Pourriez-vous me conduire à elle ? Séance tenante, pourquoi retarder ?* Afin de ne pas passer pour une sorte de possédé, il dut cependant présenter de la façon la plus rationnelle possible le récit qui l'était le moins, aussi comptait-il sur le sens qu'ont les auteurs dramatiques des situations extrêmes et leur besoin d'y adhérer, car là était leur matière première.

De fait, l'auteur entendit le plus confus des exposés : un intrus venu du bout du monde se présentait rien de moins que comme le personnage d'une de ses pièces, l'amant maudit des *Mariés malgré eux*.

Charles Knight en appela au bon sens pour calmer le forcené, qui manifestement avait été le jouet d'un phénomène bien connu des auteurs – du moins ceux qui parlaient au cœur. Il arrivait parfois qu'un spectateur fût touché par un récit au point d'y reconnaître quelque épisode de sa vie, et cette épiphanie, rare mais violente, le poussait à confondre réel et comédie et le persuadait d'avoir été désigné par l'auteur. Pour avoir connu des précédents, Charles Knight y vit un hommage à son œuvre, affirmant de surcroît n'avoir besoin de rien voler à quiconque puisque son imagination était assez féconde pour écrire dix suites aux *Mariés malgré eux*. Puis il pria son admirateur de rejoindre le public, là où était sa véritable place.

Celui-ci, retenant son exaspération, assura l'auteur de sa plus profonde discrétion : personne ne saurait rien des méandres de son inspiration pourvu qu'il confie, et au plus tôt, d'où il tenait l'argument de sa pièce.

Au lieu d'un vaudeville, les spectateurs entendirent au loin l'écho d'une tragédie et crurent à un effet de mise en scène. Le directeur accourut aux cris indignés de Charles Knight, reconnut l'importun venu le questionner trois jours plus tôt, le menaça d'appeler la police si la pièce était interrompue.

Soudain conciliant, comme si les sommations avaient porté, le Français présenta des excuses et s'engagea à ne jamais reparaître dans ces lieux – il avait trop attendu cette rencontre pour risquer maintenant le cachot, car qui sait où l'imprévisible Charles Knight pouvait de nouveau disparaître. Les acteurs du *Bandit amoureux*, irrités, retrouvèrent enfin le silence qui leur était dû.

Au-dehors, un homme attendait la fin de la représentation. Avait-il affronté des soldats, résisté à des sauvages, corrigé des marins, combattu des mercenaires, pour capituler devant un écrivain ?

*

Et la révolution eut lieu. Nocturne, imprévisible, préparée avec une minutie dont on aurait cru incapables des aliénés. La *Séditieuse*, sûre de ses troupes, avait coordonné la manœuvre. Avant l'aube, nurses et infirmiers étaient neutralisés sans qu'aucun pavillon alentour n'en prenne conscience. Le médecin-chef, retenu à son fauteuil par des attelles dont il testait pour la première fois la solidité, fut contraint d'assister à une insurrection en marche. Le grand rebouteux des nerfs, au lieu de trouver là matière à un passionnant chapitre de son glossaire des maladies mentales, y vit un terrible désaveu et une totale remise en question des fondements de sa spécialité. En voyant cent fous adopter la discipline d'une cohorte romaine qui affichait déjà la morgue des vainqueurs, toutes ses théories s'effondraient d'un coup. La somme de cent bizarreries avait provoqué une parfaite solidarité, inadmissible, insultante, impossible, impardonnable. Combien d'années de travail et de dévouement piétinées là, par un bataillon de déments qui découvraient soudain l'esprit de corps ? Des ingrats ! Qui au lieu de léguer leur folie à la science préféraient recouvrer la raison pour former des rangs serrés, dignes de la plus dévouée des armées. Et quelle vision cruelle que de voir à leur tête la plus folle d'entre tous, qui avait su entraîner d'innocents idiots dans sa propre chimère, leur promettant on ne sait quelle rédemption une fois dehors. Livrés à eux-mêmes, aucun d'entre eux n'y survivrait, pas même elle, aveuglée par sa quête d'un *autre* imaginaire. Une fois sa belle troupe dispersée, elle s'en irait mourir dans une forêt, proférant d'horribles incantations, agitée par des visions hallucinées.

Le praticien ignorait que chacun des aliénés avait su écouter l'histoire de la Française comme lui-même n'en avait pas été capable. Tous s'y étaient reconnus, qui à un détail, qui à une anecdote, tous avaient souffert du rejet de leurs voisins, tous avaient été déclarés dangereux pour les bonnes mœurs, tous avaient vu des médecins leur ausculter le crâne, tous avaient été bannis.

Retenant mal leur griserie, les insurgés se faufilèrent entre les bâtisses et se regroupèrent devant la grille principale. Les insomniaques du pavillon des pestiférés s'affichèrent à leurs fenêtres, sidérés de voir des frères pensionnaires s'aventurer hors les murs. S'engagea un émouvant dialogue où les uns, agrippés à leurs barreaux, suppliaient les autres de se rendre, et les autres invitaient les uns à les suivre dans un même élan libérateur. En se prétendant à l'abri, les malades passaient pour fous aux yeux des fous. En se disant pressés de déguerpir, les fous passaient pour des fous aux yeux des malades.

Alertés par les cris, les soldats du pavillon des réformés débarquèrent comme en mission de reconnaissance. Rétifs à toute idée d'insurrection, ils se demandaient quel camp rallier, celui des fous épris de liberté ou celui des malades accrochés à leur dernier refuge. Ils tentèrent de calmer tant de confusion mais leurs atermoiements ne firent que l'augmenter. Confrontée à de vrais militaires, la belle ordonnance des fous vola en éclats, et bientôt, aux portes de l'hôpital de Svilensk, on sombra dans un chaos où se mêlaient angoisse et espoir, couardise et bravoure, insoumission et autorité.

Abandonnant toute idée de solidarité, la *Séditieuse* cessa de s'inquiéter du sort de chacun pour se préoccuper du sien – à l'inverse des autres, elle avait un point à rallier et une longue route à parcourir. Soudain la glaneuse en elle réapparut, redonnant à la cueillette son véritable sens : le geste de choisir. Dans cette débâcle elle allait devoir s'entourer, parmi tous ces esprits égarés, de compagnons de voyage.

En premier elle se tourna vers l'*Imposteur* qui proposa de se rabattre vers l'écurie, par-delà le bâtiment des soldats, où se trouvaient un fiacre d'hiver et quatre chevaux – de quoi s'envoler dans la steppe. Puis elle entraîna avec eux le *Persécuté*, le *Versatile* et l'*Affabulatrice* dont les tocades pouvaient s'avérer précieuses en cours de route. L'*Imposteur* prit les rênes, fouetta les bêtes, s'engagea à vive allure sur un chemin pavé menant à la grille enfin ouverte, où l'ensemble des agitateurs et des soldats avaient disparu.

La *Séditieuse* en tira une conclusion optimiste : à n'en pas douter, chacun avait agi selon sa propre conviction. Celui qui ressentait l'impérieux besoin de liberté en avait trouvé le chemin. Celui qui exigeait qu'on le laissât en paix avait regagné son lit. Et l'indécis, qui attendait un ordre assez autoritaire pour lui obéir, avait enfin entendu celui de son seul désir.

Elle ne garderait que ce souvenir-là de son bataillon de fous épris de révolution.

Le fiacre bifurqua vers la pleine nature dans le jour naissant. L'*Affabulatrice*, accoudée à la fenêtre, goûtant l'air frais, ne trouva rien à ajouter, pas même un mensonge. Le *Persécuté*, pour la première fois depuis longtemps, ne vit dans cette soudaine compagnie que des alliés. Le *Versatile* semblait avoir laissé son versant obscur dans le pavillon des aliénés, et, du moins pour l'instant, seul rayonnait son versant solaire. Une route dégagée s'ouvrait devant eux. L'hôpital de Svilensk fut oublié à peine eut-il disparu du paysage.

*

À en juger par les applaudissements, *Le bandit amoureux* s'annonçait comme le succès de la saison. Charles Knight, qui rentrait calmement vers sa pension, s'en trouvait très agacé. Reconnaître le talent d'un confrère, nécessairement un concurrent, remettait en question le sien. C'était à lui, Charles Knight, de rappeler au public de Londres qu'il était le plus exigeant du monde. À lui de faire oublier ce vaudeville aux mœurs compassées, aux vers ennuyeux, aux rebondissements attendus. À lui d'imposer ses nobles intrigues et son verbe délicat. À lui de repousser les limites de la dramaturgie, de décrire des sentiments inconnus, de susciter des émotions nouvelles. À lui de s'inspirer du monde pour qu'un jour le monde s'inspire de son œuvre.

Hélas, il était loin du compte. Cette année-là les muses l'avaient toutes délaissé pour en visiter d'autres, et le feu que sa plume avait connu s'était éteint. Aux bravos avaient succédé de sourds quolibets dans le hall des théâtres : *Knight, à sec ?* Dans le regard du directeur du Pearl, il avait lu une perverse aménité : *Mon ami, je vous garde une place pour septembre, dites-moi de quelle année.* Jusqu'à sa logeuse, rosse et inculte, qui s'étonnait de ne plus trouver son nom dans le *Daily Post*, craignant ainsi pour ses prochains termes. Qui saura décrire l'odieuse solitude de l'auteur dramatique sinon l'auteur lui-même, se disait-il en traversant le quartier de Mayfair à l'heure où les tavernes se débarrassaient des derniers soiffards. Il ne se doutait pas que les affres de la création n'étaient rien en comparaison de la calamité qui l'attendait tapie dans la pénombre d'un coin de rue.

Un homme surgi avec la vivacité d'un tire-laine agrippa Knight par les revers et le fit rouler à terre en lui ordonnant de se taire au risque de sa vie.

Cet homme-là avait jadis été un être paisible, incapable de violence. S'il avait préféré le braconnage à la chasse, c'était pour laisser le sort décider de la mort de ses proies, et non son geste meurtrier.

Pourtant cet homme-là était prêt à casser la tête de Charles Knight si celui-ci persistait à ne pas révéler d'où il tenait l'argument de sa pièce.

L'auteur, effrayé par une brutalité bien plus prosaïque que celle dont il accablait ses personnages, crut avoir affaire à un détrousseur comme Londres en regorgeait. Sa peur vira à l'épouvante quand il reconnut le forcené du Pearl : deux shillings ne suffiraient pas à s'en débarrasser.

Il admit avoir fait passer *Les mariés malgré eux* pour une œuvre de pure fiction, une élégie inspirée de ses réflexions sur les destins contrariés. En fait, il s'était contenté de mettre en scène l'étonnant récit rapporté par son propre frère, Lewis Knight, employé à la Compagnie Britannique des Indes Orientales, au retour d'une de ses missions.

À l'occasion d'une halte en Chine, au comptoir de Guangzhou, pour y charger un plein navire de thé, son frère avait séjourné chez le récoltant, qui détenait à lui seul un territoire grand comme l'Angleterre, uniquement consacré à la culture de l'or vert. À la façon d'un Cicéron du bout du monde, le marchand conviait ses clients à la visite de ses terres afin de contribuer à sa réputation à travers les continents. Lewis Knight avait accepté, et à des fins toutes personnelles ; dépêché par son administration, il avait pour objectif de réunir toutes les informations nécessaires à la culture du thé afin d'en faire pousser sur le sol anglais car toutes les tentatives depuis plus de vingt ans avaient échoué. Dès lors, il avait posé mille questions à son hôte pour qu'il livre ses secrets de fabrication, il s'était renseigné sur les variétés capables de subsister en Europe, il avait assisté aux cueillettes, y prenant part lui-même, à la grande surprise des paysans, flattés qu'on reconnaisse leur savoir-faire. Il avait partagé le riz des saisonniers tout en écoutant les histoires qu'ils échangeaient lors des veillées, dont celle d'une femme, française, échouée là on ne sait comment, dotée d'une force de conviction irrésistible, qui avait dévoilé les épisodes intimes de son existence, sa rencontre avec l'homme le plus aimable de la Création, leurs innombrables bonheurs, leurs déboires constants.

Avec l'évocation de ses visions célestes et de sa renaissance, avait commencé un autre récit de pure fantasmagorie, une de ces allégories qui allument dans le cœur des mortels le besoin d'élévation. Avec ses mots à elle, elle avait encouragé les âmes terrestres à profiter de l'instant même, sans attendre, quel que fût le poids des servitudes.

Là résidait aux yeux du dramaturge la partie la plus édifiante de cette histoire, comme si cette femme avait connu le divin de son vivant, auprès d'un homme, avec pour tout décor un arbre, une rivière, un feu de cheminée. *Oh ! comme ces mots-là m'ont manqué*, avoua l'auteur, qui avait tenté de les restituer, espérant conquérir les spectateurs du Pearl Theatre aussi bien que cette Française avait conquis les cueilleurs de thé. Mais malgré les efforts de mémoire de son frère Lewis, comment recréer tant de sensations, comment suggérer toutes les nuances allant de la tristesse à l'espoir, comment traduire une telle exaltation en ne l'ayant pas éprouvée soi-même, et surtout, comment communiquer cette gaieté, imprévisible, poignante car, malgré les terribles événements auxquels elle avait survécu, elle parvenait à les décrire en riant parfois d'elle-même – légèreté dont seuls sont capables ceux qui ont payé de leur personne le prix de leur témoignage.

Charles Knight pleurait maintenant devant cet intrus qui avait cessé toute forme de menace. Cette ombre-là lui rappelait, malgré le succès des *Mariés malgré eux*, qu'il avait failli à sa tâche. En écoutant la légende de la femme à la tête coupée, rapportée par son frère navigateur, il avait rêvé d'une pièce d'une tout autre envergure, une œuvre majeure qui aurait inscrit son nom en lettres de feu dans l'histoire de la dramaturgie. Il s'était contenté de livrer une pochade qu'on oublierait dès la saison prochaine.

L'intrus, quittant l'ombre, lui proposa alors le plus surprenant des pactes.

Que vous croyiez ou non à mon identité et à mes origines n'a pas d'importance. Et sachez que j'aurais mille fois préféré une vie bien plus paisible, bien plus monotone auprès de celle qui fut et qui reste ma femme. Une vie en rien remarquable, dont on n'aurait pu tirer aucune matière dramatique, et qui dès ses prémices aurait suscité l'ennui du spectateur. Hélas, il en avait été autrement, mais aujourd'hui il était en mesure de suggérer à Charles Knight une toute nouvelle version de ses *Mariés malgré eux*.

Comment espérer une muse plus précieuse que le personnage lui-même ? Prêt à souffler à l'oreille de l'auteur toutes les images que sa mémoire avait retenues, à veiller à la justesse de ses vers. Il se tiendrait derrière son épaule, posant un œil bienveillant sur ses lignes à mesure qu'il en noircirait les pages. En revivant par la pensée sa passion pour une femme, il la décrirait sans se soucier des procédés du dramaturge, mais en retrouvant la force du réel et le retentissement du vécu.

Charles Knight entrevit ce qu'impliquait cette étrange collaboration. Écrire sous la dictée et se faire corriger comme un enfant courbé sur son pupitre ? Oublier sa licence de thaumaturge pour se plier aux exigences d'un personnage ? S'aventurer dans les recoins les plus obscurs de sa psyché ?

Bousculer le bon sens, la vraisemblance, voire les règles de la dramaturgie classique ?

Oui, mille fois oui ! cria-t-il de joie. Quel auteur au monde refuserait une occasion aussi unique ? *Mettons-nous au travail sur-le-champ, j'habite à deux pas, ma logeuse nous fera du café bien noir, je sens déjà ma plume toute prête à s'envoler !* Son nouveau collaborateur freina cependant son bel enthousiasme en lui rappelant qu'un pacte induisait nécessairement une contrepartie. En échange de sa prestation, pour laquelle il ne percevrait aucune rétribution ni n'exigerait aucun crédit, il demandait à être présenté à son frère capitaine afin de partir avec lui sur le lieu même où il avait rencontré cette cueilleuse si inspirée, qui, peut-être, par choix ou par contrainte, vivait encore là-bas.

Charles Knight comprit alors, sans tenter de l'expliquer, que l'homme en face de lui était bel et bien cet amant maudit à la recherche de son bonheur perdu.

À l'angle de Mott et Canal Street, au cœur du Chinatown de New York, il sort d'un petit immeuble coincé entre une boutique de souvenirs et une agence de banque taïwanaise. Il vient de restituer la voiture prêtée par le vieillard chinois aux cousins de celui-ci. Ils ont fourni au Français, comme convenu depuis Cleveland, deux téléphones neufs, deux ordinateurs portables, et deux passeports américains plus patinés que nature. Lui et sa femme s'appellent désormais Mr et Mrs Green. Elle est née dans le New Jersey, lui à Seattle.

Son épouse l'attend dans un coffee shop sur Broadway, attablée devant les journaux du jour – elle s'y cherche à chaque page. Sortant d'un box voisin, une femme la prie, en anglais avec l'accent québécois, de garder un œil sur son enfant pendant qu'elle s'absente pour trouver une pharmacie. Mais le petit garçon n'a aucun besoin de surveillance. Il ne bouge pas, ne touche pas à sa part de tarte, ne fixe son regard sur rien et n'émet pas le moindre son. De sa fébrilité d'enfant il ne reste plus qu'une énergie négative qu'il contient et retourne contre lui-même. Il n'est ni effarouché ni même surpris par la présence d'une inconnue, il n'en prend pas conscience.

Elle lui raconte comment, il y a très longtemps, elle a rencontré un jeune homme que tout le monde appelait le *Lunatique*. De temps en temps il redescendait sur Terre pour retrouver les joies de l'attraction terrestre puis retournait sur sa planète. En fait, il attendait patiemment que l'occasion lui soit donnée de faire la démonstration de ses supers-pouvoirs.

Puis elle se lance dans le récit de ce matin d'insurrection où le *Lunatique* avait mis sens dessus dessous tout un hôpital. Au mot « hôpital », l'enfant se crispe comme s'il s'était brûlé. Mais l'information est passée : le super-héros dans la Lune a renversé l'hôpital.

La mère, de retour, observe son fils aux prises avec cette inconnue. Sans les clients alentour elle fondrait en larmes en le voyant sourire.

Le mari fait glisser discrètement sur la table un passeport, un téléphone et un ordinateur vers sa femme. Elle se réjouit de s'appeler Green. Mais elle lui annonce un changement de programme : ils ne feront pas la route ensemble jusqu'à Montréal.

Séparément, ils courent moins de risques. Elle passera la frontière dans la voiture de cette dame et de son enfant qui ne veulent plus la lâcher. Et lui remontera en car.

Il lui en veut pour cette décision, pourtant la plus sensée. Elle lui promet que c'est leur toute dernière séparation.

Il lui souhaite bonne route, et ajoute, un rien sarcastique : *Si voyager avec des fous ne te fait pas peur…*

Elle éclate de rire.

Un attelage de quatre chevaux, lancé comme un projectile à travers les routes. À bord, les tâches s'étaient réparties sans qu'on eût besoin d'en débattre, chacun possédant des compétences qui lui avaient valu son internement à l'hôpital de Svilensk, là où elles n'avaient aucune chance de s'exprimer. Cinq individus présumés déments aux yeux de la science formaient dans la fuite une redoutable symbiose. Une dangereuse inclination là-bas se révélait ici un précieux atout. Le *Versatile*, quand il laissait le hargneux en lui refaire surface, était prié de quitter l'habitacle pour prendre les rênes afin d'exercer sa vindicte sur les chevaux, ce qui, par ailleurs, faisait de lui un excellent cocher. À son retour, il était redevenu le plus délicieux des voyageurs.

L'intuition de la *Séditieuse* au sujet du *Persécuté* avait été la bonne : le pire voisin de chambrée hier encore, obsédé par les complots ourdis contre lui, avait acquis le don d'anticiper les mauvaises rencontres. Il décidait de l'itinéraire comme si la topographie des lieux n'avait pour lui aucun secret, sa nature soupçonneuse lui tenant lieu de boussole car, à force de déjouer les obstacles, même imaginaires, il ne pouvait plus en surgir. L'anxiété d'un seul rassurait les quatre autres comme une veilleuse dans la nuit.

L'*Affabulatrice* avait un tout autre talent, fort précieux à l'approche d'une auberge ou d'un relais de poste. Quand il leur fallait rafraîchir l'attelage ou se procurer une miche de pain, on se tournait vers elle pour donner à leur équipage une indiscutable légitimité. Elle choisissait ses impostures en fonction des us et coutumes des régions traversées, et le discours qui s'ensuivait, riche de détails et de circonstances, était impossible à mettre en doute. Leur voiture devenait alors celle d'un consul en mission, d'un bey en villégiature ou d'un prince en exil. Avant d'en descendre, elle distribuait les rôles, ici un fondé de pouvoir chargé d'annoncer une guerre, ici un ambassadeur venu signer un traité de paix, ici un émissaire préparant l'arrivée de l'empereur de Chine. Et le malheureux tenancier mis en confiance, honoré de recevoir chez lui la raison d'État ou l'Histoire en marche, sortait ses meilleures victuailles, ses chevaux les plus vigoureux. Avant l'aube ses éminents visiteurs avaient quitté les lieux comme les voleurs qu'ils étaient, prêts à chevaucher tout le jour et à gruger d'autres naïfs.

Leur destination finale avait été choisie par l'*Imposteur*. Issu d'une riche et puissante famille d'Italie, il leur avait promis à Florence un havre de réconfort qui leur ferait vite oublier leur audacieux périple. Du reste, quand l'*Affabulatrice* lui faisait jouer le rôle d'un duc entouré de sa suite, il s'en acquittait avec un parfait naturel, et pour cause : c'en était un.

Le pavillon des agités de l'hôpital de Svilensk ne comptait plus les monarques, les généraux, les nababs, tout-puissants et richissimes, échoués là fort injustement selon leurs propres dires. Pour un seul d'entre eux, c'était la pure vérité. Sa famille avait donné jadis divers gouverneurs et quelques papes, avait régné sur tout le nord de l'Italie et formé sa propre armée, invincible deux siècles durant. Aujourd'hui, elle s'était éloignée des intrigues du pouvoir pour se consacrer aux arts, et réservait une partie de son incommensurable fortune au mécénat, un moyen bien plus sûr de marquer l'Histoire de son sceau.

La *Séditieuse* y trouvait son compte ; certes le passage par Florence occasionnait un détour, mais quitter l'équipée en cours de route aurait été un mauvais calcul. Se retrouver seule, vivre d'expédients, affronter chaque jour de nouveaux dangers, en avait-elle encore la force ? L'*Imposteur* avait promis, une fois de retour dans sa seigneurie, de remercier ses complices pour leur fidélité, car les cinq évadés étaient désormais liés par une confiance comme seuls en connaissent les soldats au feu. À peine aurait-il revêtu son costume de duc que des courtisans viendraient lui proposer leur belle amitié, mais plus jamais il ne retrouverait la loyauté d'une poignée de fous en révolte. Aussi la

Séditieuse accepta sa proposition de lui fournir un carrosse avec escorte afin de rentrer chez elle. En plus de la sécurité, du confort, de la célérité, elle vit dans cette opportunité une manière de revanche ; même si ses voisins d'alors, et les fils de leurs fils étaient morts depuis longtemps, elle s'offrirait un retour triomphant sur le lieu même de son bannissement.

*

Si les actes I et II de la nouvelle version des *Mariés malgré eux* leur avaient permis d'affiner leur collaboration en écriture, l'acte III les opposa de façon radicale. Charles Knight voyait dans ce passage chez le roi de France l'occasion de se confronter à une figure imposée de l'art dramatique où l'homme de peu affronte l'autorité absolue, représentée par un dieu, un monarque, un tyran. Comment résister à la tentation de tourner en dérision les maîtres, convaincus de leur omnipotence ? N'était-ce pas le rôle même de la fable que de subvertir les lois morales qui asservissaient les peuples, de bousculer les hiérarchies, d'inverser la logique des faibles et des forts ? Comment ne pas draper ce roi dans les oripeaux de la suffisance, tremper dans le fiel ses répliques infatuées ? Ce à quoi son contradicteur répondait : *Non, monsieur l'auteur ! Devant le roi, les amants perdent toute morgue mais gagnent en compassion, personne ne rit devant un homme à l'agonie, même le bouffon, qui a soudain honte de sa bonne mine et de ses formes replètes.* Au lieu de verser dans la satire attendue et d'acheter à bon compte la connivence du public, la vraie difficulté consistait à montrer que devant la mort le roi se révélait humain, tragiquement, prosaïquement, viscéralement humain. Knight rétorquait : comment éprouver une once de pitié pour celui qui vous condamne au gibet ? Un paradoxe que même les vers les plus subtils, les diatribes les mieux tournées ne sauraient faire admettre au spectateur.

Ce paradoxe en cachait un autre, bien plus intéressant selon le Français, car les amants maudits, condamnés eux aussi à une mort imminente, n'éprouvaient rien, ni terreur ni colère, sinon l'angoisse de se voir séparés, et c'était ce sentiment-là que le dramaturge devait traduire à tout prix, au lieu de se contenter d'une charge cynique contre le pouvoir. Charles Knight revoyait alors sa copie, parfois la nuit durant, pendant que son inspirateur s'endormait dans un fauteuil, épuisé par trop de joutes rhétoriques.

À son réveil il parcourait des volées de notes à l'encre encore fraîche et découvrait de nouvelles scènes, dont l'une rendait à Louis le Vertueux un peu de dignité, refusant qu'on répande la nouvelle de son mal afin d'épargner le peuple : *I would they knew nought of my true affliction. Odd's life! The frailty of a king must be secret.* Mais dès la scène suivante, en proie à des injonctions contradictoires, le roi perdait toute grandeur et sommait le peuple de verser plus de larmes que l'océan ne saurait en contenir.

Quand il cédait sur un point, le Français tenait ferme sur d'autres au nom de la vérité, qui selon lui donnait à l'œuvre toute sa légitimité. Le plus souvent Charles Knight s'en inspirait, exalté au point de craindre que sa main ne fût pas assez rapide pour saisir au vol tant de fulgurance ; mais parfois il renvoyait au visage de son coauteur son *vécu* et son *ressenti*, dont nul n'avait cure, car cette prétendue vérité allait provoquer ennui et indifférence si on ne la soumettait pas aux lois de la narration comme à la subtile alchimie des mots. De surcroît il fallait tenir compte du besoin d'anticiper de tout spectateur, qui lui aussi avait son propre *vécu*, son propre *ressenti* et, afin de le surprendre autant que l'émouvoir, tous les artifices du style étaient requis.

Et les empoignades reprenaient entre le garant du réel et le représentant de la forme, sans qu'aucun reconnaisse que l'essence même de l'œuvre et son juste équilibre se situaient à l'exact confluent de leurs deux convictions.

Pour parachever l'ouvrage, ils travaillaient sans discontinuer, car d'ici peu Lewis Knight rentrerait de mission. Le temps pour sa compagnie de lui affréter un nouveau navire, et il repartirait pour l'Orient. En général il revenait de ses voyages avec de quoi gâter son entourage ; à sa femme il offrait une pierre précieuse ; à ses enfants, un chat persan ou une perruche ; à ses amis des épices et de l'encens ; et à son frère Charles, auteur talentueux mais peu inspiré, il rapportait, quand l'occasion lui était donnée, une légende des contrées exotiques qui lui fournirait matière à quelque intrigue. Cette fois, pour agréer son écrivain de frère et lui permettre d'honorer un pacte, il prendrait à son bord un passager inattendu, en quête d'un trésor lointain.

*

Au fil de sa traversée, la diligence des fous perdait ses passagers. Passé Constantinople, le *Versatile*, pris d'une impulsion devant un superbe paysage or et azur, quitta le carrosse. La *Séditieuse* lui demanda lequel de son être solaire ou crépusculaire prenait une si soudaine décision. Conscient désormais d'abriter deux hommes à la fois, il avait décidé de n'en chasser aucun afin de profiter de la solidité de l'un et de la bienveillance de l'autre. À l'image de Janus, l'entité à deux faces, dieu des choix, il possédait le don unique d'entrevoir en tout événement soit un commencement, soit une fin. Le jour où la mort elle-même viendrait frapper à sa porte, il saurait au fond de son cœur si elle aussi était un commencement ou une fin.

Plus tard, à la croisée de deux routes, l'une dégagée et fiable, l'autre ouvrant sur une zone à risques, le *Persécuté* décida d'emprunter, seul, cette dernière, au grand étonnement de tous. Pour avoir toute sa vie craint et anticipé mille périls, il était temps pour lui de s'aventurer en milieu hostile afin d'en découdre pour de bon. Après l'épreuve du feu, il saurait faire la part de son imagination tourmentée et de la brutalité de ce monde. Son obsession l'avait-elle préservé, ou empêché de se jeter dans l'existence ? La réponse ne tarderait plus.

Après avoir traversé la mer Adriatique par bateau, quittant les rives des Balkans pour celles de l'Italie, leur voiture remonta plein nord en direction de la Toscane. C'est en faisant étape à Ancône que l'*Affabulatrice* décida de quitter l'équipage pour y tenter sa chance. En se mêlant à la foule un jour de marché, elle avait été l'objet de dix sollicitations de combinards et fricoteurs, tous à l'affût d'une naïve voyageuse à peine sortie de sa voiture. Hélas pour eux, en jetant leur dévolu sur elle, ils étaient loin de se douter qu'ils se livraient, innocents agneaux, à la plus redoutable des louves. Au jeu de la fourberie et des plans artificieux, ils avaient tout à apprendre d'une faussaire au talent certifié par la science. Elle venait de trouver là son terrain de chasse : bientôt elle ferait tourner la ville à l'envers.

La *Séditieuse* se retrouva seule à bord avec l'*Imposteur* qui, du haut de son poste de cocher, redécouvrait peu à peu les paysages, les senteurs et la lumière de sa terre natale. Si elle avait eu un dernier doute sur l'identité réelle de son ami, il fut levé en pénétrant dans la ville de Florence ; on retrouvait çà et là, au hasard d'une majestueuse architecture, les empreintes laissées par sa famille depuis plusieurs siècles ; son monogramme gravé au-dessus des fontaines, son blason taillé dans la pierre des balcons, son nom dans sa version latine au fronton d'un baptistère, la statue d'un ancêtre.

Il dirigea la voiture dans des quartiers dont il connaissait le moindre détour, puis l'arrêta devant une petite église.

Ils remontèrent la nef, déserte en ce début d'après-midi, longèrent le déambulatoire, et soudain, oubliant le recueillement requis en ces saints murs, le duc se précipita vers un très vieil abbé qui sortait d'une chapelle dévolue à saint Antoine. Tous deux laissèrent éclater leur joie, le disciple revoyant là son maître, précepteur de son éducation religieuse, un homme rigoureux, bourru, mais toujours indulgent envers le jeune héritier dont il avait la charge. Depuis il officiait dans cette paroisse qu'il s'était vu confier en récompense de services rendus, et dont il était fier comme s'il s'était agi d'une cathédrale. Abandonnant les deux hommes à leurs retrouvailles, la *Séditieuse* – qui pouvait enfin quitter son sobriquet – se laissa envahir par un sentiment de quiétude qui peu à peu atténuait fatigues et tensions accumulées depuis leur folle équipée. Adossée à un pilier proche de l'autel, elle aperçut, suspendu sous la voûte par un système de planches et de cordes, un artiste silencieux, le pinceau à la main, comme fondu dans le décor que lui-même façonnait.

Le duc – que plus personne ne désignerait sous le nom de l'*Imposteur* – vint instruire la Française sur la suite des opérations. Elle l'attendrait ici, dans l'église, sous la protection de son curé, le temps pour lui de se présenter au palais où tous le croyaient mort depuis longtemps. L'apparition miraculeuse du revenant allait provoquer un séisme d'embrassades et un déluge de larmes ; il passerait la nuit à expliquer sa disparition, son exil, son internement, sa fuite enfin et, au chant du coq, cors et tambours annonceraient en ville le retour de l'héritier ; après avoir revêtu ses habits seigneuriaux, il viendrait la chercher pour la présenter aux siens et entamer ainsi les réjouissances données en son honneur. *Procédons comme vous le souhaitez*, dit-elle, *mais n'oubliez pas votre promesse de me fournir cette diligence une fois les célébrations terminées. Ni frère ni sœur ne se languissent chez moi, aucun banquet n'y sera donné pour fêter mon retour, mais j'ai bon espoir d'y retrouver à la fois mon royaume, mon passé et mon unique famille en une personne, qui m'y attend peut-être déjà.*

Après une longue nuit sur une paillasse de fortune dressée au fond de la sacristie, on lui servit une soupe de lait et de pain, qu'elle dévora comme une ogresse, puis elle se recoucha pour prolonger cet état d'abandon. Presque désemparée de n'avoir rien à craindre, elle fondit en larmes de soulagement, bercée par les psaumes lointains de l'office.

Elle aperçut à nouveau l'artiste peintre qui, suspendu dans les airs, poursuivait son ouvrage avec une étonnante discrétion. Pourtant la tâche était rude, sa fresque ayant pour vocation de représenter rien de moins que le royaume de l'Éternel.

*

À la dernière réplique de la dernière scène du dernier acte, Charles Knight quitta précipitamment son bureau pour rejoindre une impasse afin d'éclater en sanglots sans le moindre témoin. Après avoir raturé des centaines de pages, après avoir bataillé au point d'en venir aux mains avec un intraitable maître d'œuvre, il avait enfin abouti : cette nouvelle version des *Mariés malgré eux* effaçait sans appel la précédente. Son complice en écriture la relut une dernière fois, n'y trouva rien à ajouter, et félicita son auteur.

Charles lui présenta son frère Lewis, qui les reçut au siège de la Compagnie Britannique des Indes Orientales. En le voyant assis à son bureau, le nez dans son registre, l'œil sur une carte marine, le Français éprouva un formidable sentiment de gratitude : cet homme-là avait rencontré sa bien-aimée. Le capitaine la décrivit du mieux qu'il put, sa natte tressée à la chinoise, sa chemise et sa jupe délavées de bleu, ses épaules si blanches qui contrastaient avec ses mains noircies par la feuille de thé. Ému, le mari n'eut aucun mal à imaginer sa glaneuse le panier à la main, il entendit même le son de sa voix prononçant la phrase : *Je cherche mon mari tombé du Ciel.* Le capitaine s'engagea à lui présenter le propriétaire du domaine ainsi que toute personne apte à fournir un renseignement sur cette femme qui avait tant marqué les esprits.

Le voyage jusqu'au comptoir de Guangzhou durerait trois mois et comprendrait quatre étapes principales ; une première à Gênes pour y charger du vin et de l'huile qu'ils livreraient à Alexandrie, et de là, ils poursuivraient en caravane, par voie terrestre, jusqu'au golfe de Tadjourah, où les attendait une autre de leurs caravelles. Après avoir traversé la mer d'Arabie, ils feraient une escale à Pondichéry avant de rejoindre la Chine.

Les adieux de l'auteur à son personnage furent plus poignants que prévu ; leur pacte secret avait créé en chacun d'eux un même malaise, comme s'ils avaient transgressé quelque loi sacrée de la genèse artistique – si les auteurs dramatiques avaient été soumis à un serment, comme les médecins à celui d'Hippocrate, mille fois l'auraient-ils renié. Mais ce pacte-là ne connaissait aucun précédent et ne ferait aucun émule, et peu importait l'origine de ce texte, seuls comptaient les rires et les larmes qu'il allait susciter pour les siècles à venir.

Les deux hommes échangèrent une longue poignée de main sans prononcer le moindre mot – un seul aurait été de trop après tous ceux qu'ils avaient choisis, proférés, soufflés, distordus, honnis, célébrés, inscrits et biffés. Charles confia la destinée de son ami français à son frère. Sur le quai, en voyant le navire s'éloigner, l'écrivain pria Dieu pour que cet énergumène surgi d'on ne sait où y retourne à jamais.

*

Du fait d'une ingénieuse perspective, la coupole laissait entrevoir l'immensité céleste où couraient des constellations dans des trouées d'azur, où des reflets d'or se mêlaient aux ombres blanches, où voletaient des angelots aux traits tendres, à la chair rose. On devinait au point de convergence un motif en cours d'élaboration, un geste et un regard, complémentaires et d'essence divine, le surgissement du Tout-Puissant, dont la main formait comme une corolle qui semblait contenir toutes ses créations terrestres. Ses yeux aux iris d'argent, vifs et pénétrants, évoquaient ceux d'un père veillant sur ses enfants.

La jeune femme, touchée devant l'ampleur du projet, flattée d'assister à la réalisation d'une œuvre que l'on admirerait longtemps, le félicita pour la précision de son trait et la qualité de sa lumière. *Nul doute que sous ce ciel sublime, le fidèle, agenouillé sur son prie-Dieu, en sera conforté dans sa foi*, dit-elle. Cependant elle ne put s'empêcher de pointer un paradoxe, arguant que le dévot, assidu des prêches de l'office, n'avait nul besoin de cette fresque puisque sa propre vision du royaume des cieux, enflammée par les Saintes Écritures, était bien plus riche de détails que cette coupole ne saurait en contenir, laquelle resterait, *malgré votre grand talent,* une pâle ébauche du mystère de ce qui Est.

L'artiste affirma avoir respecté point par point la commande de l'Église dont l'autorité ne saurait être remise en question. Était-ce le mot *respecté*, *commande* ou *autorité* qui irrita le plus la jeune femme, celle-ci suggéra qu'un autre public était à conquérir, plus difficile et plus vaste que les croyants et les ministres du culte, celui des mécréants qui s'interrogeaient sur le bien-fondé du Pur Esprit. *Pensez aux sceptiques égarés sur ces bancs qui pourraient connaître une épiphanie : la certitude d'être issus de la volonté du Très-Haut. Celui qui leur a offert ces cadeaux magnifiques que sont la vie, la Terre et la nature.*

Le rôle de l'art sacré n'était-il pas de susciter la révélation à ceux qui en étaient privés plutôt que de rappeler au pratiquant la promesse du royaume qui l'attendait après une vie de prière ? *Imaginez un barbare venu d'une contrée lointaine faisant irruption dans cette nef pour la piller. Il aperçoit votre fresque. Pris d'un malaise, il lâche son glaive. Il murmure des mots qu'il ne comprend pas lui-même : « Quelque chose de sacré se joue ici. » Il s'en va à reculons, honteux de ses crimes passés, hanté à jamais par ce qu'il a entrevu dans cette église.* Pour un artiste, n'était-il pas plus exaltant de relever ce défi plutôt que de satisfaire à une commande ?

Le prêtre, surgissant d'un confessionnal, n'avait rien perdu de leur échange. Il prit à partie cette insolente qu'il avait la bonté d'héberger : qui était-elle pour s'immiscer dans la sainte alliance de l'art et de la foi ? D'où tenait-elle son aplomb ? De son asile de fous, perdu dans une contrée sanguinaire ?

Quelle ironie pour celle qui déjà avait été chassée de la maison de Dieu, la vraie, celle que le pauvre peintre essayait vainement de représenter. Si elle avait signifié à ce prêtre qu'elle était bien plus qualifiée que lui pour évoquer ce royaume-là, il l'aurait déclarée non pas folle mais possédée ! À Florence, joyau du rayonnement chrétien, un tel outrage aurait déclenché l'ire d'un peuple toujours prompt à raviver les bûchers du Moyen Âge, et la protection du duc n'y aurait rien changé.

Après avoir renvoyé la pécheresse sur son grabat, l'artiste sut trouver les mots pour calmer le bon curé ; ils avaient affaire à une ignorante des règles des beaux-arts autant que de l'imagerie pieuse, une pauvresse qui montrait là son inculture plus que son impiété, rien qui méritât qu'on reforme les tribunaux de l'Inquisition. Le prêtre en convint, s'en amusa presque, puis retourna à son confessionnal, et le peintre à sa fresque.

Une fresque qui, ce jour-là, resta en souffrance. Son auteur, incapable de poursuivre, troublé par l'intervention de la prétendue folle, attendait la nuit pour la consulter à nouveau.

Grand est le désarroi de l'artiste qui soudain perd confiance en son œuvre. Il se voit accomplir un exercice imposé, pâle imitation des maîtres classiques. Il se sent soudain bon faiseur, qui reproduit avec honnêteté mais ne crée plus. La fresque sur laquelle il avait travaillé des mois avait pris soudain de nébuleux contours, ses motifs séraphiques avaient viré au pompeux. Il se vit rater là son grand rendez-vous avec la postérité et rallier le camp des barbouilleurs prébendés.

Il gardait cependant espoir de redonner à son entreprise un reflet de transcendance. Un espoir qui pour l'heure se reposait sur son grabat après avoir évité de justesse le bûcher. Il implora la jeune femme de l'aider à revoir son ouvrage, dût-il le recouvrir d'un blanc immaculé comme une page à écrire de l'histoire de l'art. Il avait besoin d'elle pour bousculer les académies, dérouter les partisans du bon goût, inventer de nouvelles formes, recréer cette effervescence divine qu'elle évoquait comme si elle-même l'avait connue. Son instinct le poussait maintenant à la traduire sur ces murs et accomplir ainsi sa vraie mission ici-bas : servir le dessein suprême et non rassurer le calotin. Ce fut au tour de la jeune femme de le mettre en garde contre les foudres, non de Dieu mais des gardiens de la chrétienté, prêts à crier au sacrilège dès que l'on transgresse le dogme. Un danger qu'il encourait volontiers : sa coupole, iconoclaste pour certains, glorieuse pour d'autres, allait faire parler de lui jusqu'à Rome. Seul le souverain pontife aurait le droit de statuer sur le bon aloi de l'œuvre. Dès lors, il déciderait de la carrière de l'artiste, soit en lui confiant une basilique, soit en le jetant au cachot.

Qu'il en soit ainsi, dit-elle. Mais pour sa contribution elle demandait une récompense. Et la plus inattendue qui fût.

Bientôt elle serait de retour chez elle, mais qui sait si son village existait toujours ? Une fois sur place, en espérant que son mari y fût aussi, combien de bourgs et de hameaux devrait-elle visiter en espérant le voir apparaître ? Combien de fois lui faudrait-il décrire à des inconnus la couleur de ses yeux, le soyeux de ses cheveux, l'éclat de son sourire : *Avez-vous vu cet homme-là ?* Aussi son enquête en serait-elle grandement facilitée si elle possédait un médaillon qui renfermât le portrait du bien-aimé, un portrait que seul un maître italien saurait reproduire avec fidélité.

Le maître en question se sentit de taille à relever le défi en signifiant toutefois que la ressemblance avec le modèle dépendait de la précision qu'elle mettrait à le décrire. Elle le rassura sur sa capacité d'évocation : quoi de plus fidèle qu'une description aimante ? N'est-ce pas l'essence du portrait que d'exalter les qualités intérieures ? Pour l'avoir fait mille fois en pensée, en rêve, elle n'avait qu'à fermer les yeux pour que s'impose l'image de ce doux visage, tant de fois embrassé et caressé naguère, au temps où jamais elle n'aurait imaginé le faire tenir dans un médaillon.

*

Dans le foisonnant port de Gênes transitaient l'ensemble des compagnies navales, son débarcadère pouvant accueillir tous types de navires. Le *Dragon Gally*, sous le commandement du capitaine Knight, y chargea une cale entière de tonneaux de vins du Piémont et d'huiles rares, à la suite de quoi son équipage eut quartier libre pour profiter des conforts et des plaisirs qu'offrait la ville – seuls le capitaine, son chef de quart et une poignée de matelots resteraient à bord. En voyant errer son unique passager sur le pont, Lewis Knight l'incita à découvrir le vieux quartier génois, où il connaissait quelques adresses fort prisées des gentilshommes.

Le Français préféra regagner son bat-flanc. Du

reste, il n'avait jamais mieux dormi que sur un bateau, comme s'il glissait sur une mer d'oubli, bercé par un délicat roulis et la rumeur lointaine d'une nuée de goélands – seul le branle-bas provoqué par la tempête à bord du *Sainte-Grâce* avait su le tirer de sa couche. Il s'enveloppa d'une couverture et se retrouva, les yeux à peine fermés, dans une plantation de thé, ou du moins la description qu'on lui en avait faite.

Il y tourna longtemps avant qu'un fracas, bien étranger à son rêve, ne le ramène à bord. Il perçut des cris étouffés, imagina une algarade avinée, chère aux matelots à cette heure de la nuit. Il referma les yeux en priant pour qu'ils s'en aillent cuver dans leur hamac mais le bruit s'intensifiait, se rapprochait même, et il quitta sa cabine en craignant que ce tumulte ne cesse pas sans son intervention. Devant sa porte un homme gisait, les mains repliées sur son ventre en sang, un autre titubait dans le couloir, les yeux suppliants, avant de s'effondrer. En entendant d'affreux râles provenant du quartier des officiers, il s'y précipita, armé du sabre du malheureux qui venait d'expirer dans ses bras. Le capitaine, torse nu, ferraillait avec un escarpe vêtu d'un pourpoint et d'une chemise noirs, le crâne cerné d'un bandeau écarlate.

Le Français apprendrait plus tard que le *Dragon Gally* avait subi l'attaque d'une bande de six brigands dont la spécialité consistait à guetter le mouillage des navires de commerce en partance pour l'Orient, en général pourvus d'un coffre d'or destiné à être dépensé dans les comptoirs. Ces pirates qui jamais n'avaient pris la mer procédaient selon un invariable mode : la nuit, deux d'entre eux arpentaient les tavernes à matelots pour offrir des chopes en échange de précieux renseignements sur la contenance des navires et la composition de l'équipe de garde. Et avant l'aube, un abordage était lancé.

Pendant que sur le pont ses comparses désarmaient les matelots consignés à bord, le chef des bandits ordonnait au capitaine, la lame sur la gorge, de le mener au coffre. Et il en aurait été ainsi si le Français n'avait fait irruption dans la cabine, fort contrarié d'avoir été arraché à ses rêves.

Il dormait ! Paisible, retranché, déterminé à rester invisible toute la traversée durant. Or une créature de noir vêtue, prête à embrocher quiconque sur ce navire, venait à son tour compromettre la quête à laquelle il avait tout sacrifié. Il se vit donc contraint de freiner le bon déroulement de ce pillage en règle, et ce qui animait son bras n'était ni un réflexe de survie, ni un geste de loyauté, mais la fureur de se voir convoqué dans une opération crapuleuse qui ne le concernait en rien. Après tant d'épreuves subies sa rage accumulée s'exprimait contre un même adversaire qu'il rendait responsable de toutes ses contrariétés. Celui-là allait payer pour tous les autres, pour une infinie variété de fâcheux, pour ce médecin qui lui avait tâté le crâne afin de s'assurer de sa bonne conformation, pour ce geôlier qui lui avait lancé des fruits pourris à travers les barreaux, pour ce marquis qui l'avait fait bastonner afin de se divertir, pour les serpents dont la couleur se confondait avec le sable, pour l'orfèvre de Teyagueca qui l'avait volé sur le poids de son médaillon, pour les rats effrontés sur des grabats infects, pour les soldats aux uniformes rouges qui l'avaient canonné sans même identifier leur cible, pour ce matelot du *Sainte-Grâce* qui l'avait insulté sans raison dans une langue inconnue, pour ce tavernier qui lui avait servi des bas morceaux à dégoûter un chien, pour ce juge qui bâillait d'ennui quand il tentait de se défendre, pour mille tonnes de coton charrié, pour tout cela quelqu'un allait payer, et pourquoi pas ce chef des brigands assez lâche pour suriner des marins dans leur sommeil.

Après l'avoir désarmé et projeté au sol, plutôt que de l'achever de son sabre il le massacra à coups de botte afin de voir son sang gicler de toutes parts, de faire craquer ses os un à un, de l'entendre crier non plus de férocité mais de douleur. Sa victime, vomissant une bile rouge, rampant comme un insecte qui fuit le dernier coup de semelle, terrassé par la bestialité de l'attaque, réunit ses dernières forces pour se ruer hors de la cabine en hurlant comme le supplicié qu'il était.

De retour dans la sienne, le Français décida qu'il n'en sortirait qu'une fois les amarres larguées. Sans doute avait-il sauvé la mission du *Dragon Gally* mais il refusait de s'en voir attribuer le crédit, regrettant presque de s'être embarqué. En prenant le risque fou de rejoindre l'Orient sans savoir ce qu'il allait y trouver, peut-être avait-il contredit par son impulsivité la seule finalité de toute odyssée : le retour au foyer.

*

La voiture, qui alliait à la pompe d'un carrosse la robustesse d'une diligence, traversait la forêt de Bogliasco tout en longeant la mer Tyrrhénienne, escortée par deux hommes en armes qui dégageaient la route sur son passage ; le cocher fouettait ses chevaux sans craindre de les crever car d'autres, frais et robustes, les attendaient à chaque relais.

La seule passagère somnolait, ouvrant l'œil au hasard des cahots et des ornières, l'esprit encore embrumé par les festivités qui avaient embrasé la ville de Florence et ses provinces. La famille du duc, reconnaissante, l'avait fêtée comme une invitée de marque, en la priant toutefois de rester discrète sur le détail de sa rencontre avec leur fils ; le peuple avait-il besoin d'apprendre que leur héritier, membre du conseil des sages et bienfaiteur, s'était échappé d'un asile de fous ?

Bien avant l'heure prévue elle sentit un ralentissement, et ce qu'elle vit par la fenêtre lui fit regretter de s'être montrée si confiante dans le bon déroulement de sa chevauchée. N'avait-elle pas appris, au fil de son interminable périple, que le sort choisissait de frapper à l'instant même où l'on imaginait en être délivré ? Ce séjour dans les fastes florentins lui avait-il fait oublier que plus la destination semblait proche, plus longs étaient les détours, plus nombreux les obstacles ? Fallait-il être présomptueux pour s'imaginer qu'un grand galop suffisait à garder une mesure d'avance sur l'adversité ?

En travers de la route se dressait une haie de six hommes, comme un poste frontière surgi de nulle part. Quatre d'entre eux, genou à terre et mousquet en main, mettaient en joue les escortes – de simples soldats et non des héros –, pendant qu'un cinquième priait le cocher de descendre de son poste. Le sixième, le bras en écharpe et le visage tuméfié, dirigeait la manœuvre sans trop de forfanterie du fait de ses blessures.

Une heure plus tôt ils galopaient comme des fuyards, que rien ne poursuivait sinon leur propre honte. Ils quittaient le port de Gênes dont tous étaient natifs pour ne plus jamais y reparaître après une humiliation subie trois jours plus tôt. Des années durant, ils s'étaient bâti une réputation de férocité, devenue la hantise de tous les armateurs du monde, en détroussant les navires amarrés à quai avant leur tournée dans les comptoirs d'Orient ; une spécialité fort lucrative qui leur avait permis de mener grande vie car le commerce maritime doublait d'année en année et poussait dans leur port toujours plus de navires aux cales encore vides mais aux coffres pleins. Et leur belle entreprise aurait prospéré ainsi pour la décennie à venir si le chef de bande n'avait croisé le fer avec une créature bestiale, qu'il décrivait à ses hommes comme un dément, l'écume aux lèvres, poussant des cris abominables, violent comme une armée qui charge. Le malheureux bandit avait eu une oreille arrachée par un coup de sabre, cinq dents lui étaient sorties de la bouche sous un coup de talon, et tout son corps s'était ouvert de mille plaies – une atroce douleur physique que seule la sidération avait su faire taire durant l'attaque. De retour au repaire, bredouille, plus mort que vif, incapable de surmonter son anéantissement, il avait ordonné un départ immédiat aux allures de débâcle. Plus jamais il ne retrouverait sa réputation de fier pirate de terre ferme ; comment paraître en ville sans affronter les quolibets des bandes rivales ou ceux des taverniers, si couards d'habitude, si prompts à jouer les mouchards par crainte de représailles ? Il se voyait même perdre son autorité sur ses hommes dont il devinait les commentaires narquois – et de fait, ceux-là doutaient de cette apparition rugissante, mue par une force surnaturelle. À le voir désormais affublé d'une vilaine claudication, d'un rictus édenté, d'un cache-œil en travers du visage, les cinq coquins retenaient leurs sarcasmes, échangeaient des œillades cruelles, attendant maintenant que leur chef se conduise comme tel s'il comptait le rester.

Sur son injonction, ils avaient quitté un port pour tenter d'en conquérir un autre, celui de Naples, au trafic qu'on disait dense, où leur savoir-faire bientôt effacerait cet épisode peu glorieux. Mais, chemin faisant, rien ne les empêchait de s'essayer à une autre discipline qui ne demandait aucune aptitude particulière, celle du coupeur de route. Si elle n'offrait que de médiocres butins, elle avait pour charme de laisser libre cours au hasard des rencontres, comme un galant en promenade garde toujours espoir de croiser le chemin d'une dame. Et à en juger par cet attelage princier, c'était bien une dame de haut rang qui posait le pied à terre, tout assoupie par la monotonie du trajet. Une comtesse, une marquise, ou même une courtisane distinguée, à peine sortie du lit d'un noble et récompensée pour ses qualités. En voyant avec quelle facilité ils venaient d'arraisonner l'attelage, les scélérats se demandèrent si l'heure n'était pas venue de se consacrer à l'art de l'embuscade, détrousser de bons bourgeois, pleutres à souhait, inventer de nouvelles dîmes pour les voyageurs, péages, taxes de transit, et agir en plein jour, voir du pays, respirer les bienfaits d'une nature sylvestre, ah la vie saine du bandit de grands chemins ! Il était temps pour eux de cueillir ce tout premier fruit à l'aspect si soyeux, sans avoir recours à leur habituelle brutalité.

De guerre lasse, la passagère leur remit sa bourse bien garnie, destinée aux frais d'étapes, qui constituait selon elle toute sa fortune. L'homme au visage bleui et gonflé par les coups, à demi aveugle, boitant et râlant comme un mendiant, n'en crut pas un mot ; la dame cachait à coup sûr une bague dans son manchon, ou un de ces discrets écrins conçus pour les brillants, ou même un bracelet en or, gravé à ses armoiries. Oubliant toute délicatesse, il inspecta ses poignets et sa gorge, et débusqua, ô joie, la chaîne d'un pendentif qu'il arracha d'un coup. Il s'agissait d'un médaillon doté d'un fermoir, contenant à coup sûr une pierre précieuse.

Il y trouva un portrait d'homme.

La vraie terreur est celle que le corps ressent déjà quand l'esprit refuse une inacceptable évidence. Halluciné par ce regard noir qui le toisait du fond du médaillon, le chef sentit un afflux de sang lui vider les jambes pour lui remonter dans la gorge et lui battre les tempes. *C'est lui !* hurla-t-il soudain, *c'est ce chien enragé qui m'a mordu dans le port de Gênes ! Trait pour trait !* Il tenta de convaincre ses hommes, perplexes devant tant d'émoi. *C'est le monstre du* Dragon Gally *! Celui-là même qui m'a écorché jusqu'au sang ! Regardez-le !* cria-t-il en brandissant le médaillon. Sur cinq de ses comparses, deux prirent peur, non devant le portrait mais devant leur meneur, dont la raison, c'était prévisible, avait sombré pour de bon. Quoi qu'il se fût passé dans la cabine du capitaine du *Dragon Gally*, le traumatisme subi par le malheureux avait viré à l'obsession, au point qu'il voyait son agresseur partout, et dans les endroits les plus inattendus. Le moment n'était-il pas venu d'envisager pour toute la bande un changement de carrière, car comment continuer à suivre les ordres d'un dément qui prétendait exercer son empire dans le port de Naples ? Les trois autres retenaient à grand-peine de petits rires corrosifs : leur chef, ou du moins ce qu'il en restait, leur resservait le couplet du spectre invulnérable surgi d'on ne sait où, et plus il tentait de les persuader, plus il se rendait ridicule. C'était un bien cruel spectacle de voir un homme jadis si craint s'avilir ainsi. Persistant dans son délire, le malheureux surprit les regards fuyants de ses hommes. Voulant connaître le fin mot de cette machination, il se tourna vers la dame du carrosse, qui allait, dût-il employer la force, s'en expliquer sur-le-champ.

Mais la belle, au milieu de tant de confusion et de cris, avait saisi la bride d'un cheval et chevauchait maintenant au grand galop vers le port de Gênes.

Adjugé pour 755 000 € à la Galerie des Offices.

Des écouteurs dans les oreilles, l'œil sur son écran, la Française se trouve en ce moment même à Florence, dans le plus prestigieux musée de la Renaissance italienne.

L'enfant s'est enfin assoupi sur la banquette arrière après avoir écouté les étonnants récits de voyage de cette passagère inattendue. Au volant, Louise a quitté l'autoroute pour remonter par l'État du Vermont. Les paysages sont, dit-elle, *du baume à l'œil.* Mais Mrs Green ne voit rien de la nature qui l'entoure et regarde un reportage téléchargé en ligne : un conservateur des Offices se réjouit de l'arrivée d'une nouvelle pièce dans la collection.

Il s'agit d'un portrait attribué à Giacomo Tadone, contenu dans un médaillon de trois centimètres de diamètre, que le cabinet Sotheby's a mis aux enchères. Le musée s'est porté acquéreur car là est la place de ce portrait et non dans le coffre d'un collectionneur.

Une véritable curiosité, affirme le conservateur. Le Tadone n'ayant jamais travaillé sur une si petite dimension ni sur un support si particulier. Le modèle, un homme d'une trentaine d'années, type européen, ne porte aucune marque distinctive de rang, de fortune, de lignée, et à l'époque seuls les nobles et les grands bourgeois prenaient soin de laisser leur effigie à leur peuple ou leur descendance, eux seuls ayant les moyens de s'offrir les services d'un artiste. En soumettant l'œuvre aux outils technologiques d'aujourd'hui, il n'est pas exclu d'en savoir plus sur l'identité à la fois de son commanditaire et de son modèle.

On avait ainsi reconstitué, poursuit-il, la genèse de certains tableaux et résolu le mystère de leur composition ; on savait désormais que telle paysanne avait prêté ses traits à une sainte, qu'un peintre s'était inspiré de ses neveux pour créer des angelots, ou que tel personnage, doté d'un soi-disant profil vénitien, était en fait un esclave venu des antipodes. Mais outre l'intérêt de posséder une pièce non répertoriée du maître, la direction générale des Offices espère trouver dans ce médaillon une clé permettant l'accès à une œuvre plus célèbre du patrimoine florentin, la coupole de l'église Sant'Onofrio, peinte par la même main et à la même époque. N'est-ce pas le rôle premier d'un musée que de faire taire les spéculations critiques en apportant une lecture indiscutable de l'œuvre ?

Mrs Green clique sur un lien vers un documentaire consacré à la fameuse fresque qu'elle n'a jamais vue terminée, aux motifs jugés hérétiques par ses contemporains, mais consacrée par le pape Pie VIII qui avait dit en la découvrant : *Deus hic est* – Dieu est ici.

Le commentaire souligne que tout historien d'art s'est un jour interrogé sur la conception si singulière de ce plafond, très éloignée des représentations allégoriques de l'époque, dépourvue de toute imagerie biblique, en pleine contradiction avec l'académisme des commandes de l'Église. La coupole laisse aujourd'hui encore les experts perplexes, certains n'hésitant pas à parler d'abstraction tant ses motifs échappent à toute forme de réalisme. Le maître avait *inventé un sacré* qui n'existait pas avant lui et qui disparaîtra après, une entreprise exubérante mais jamais baroque, novatrice sans faire école. Réputé pour être le seul artiste officiel à livrer ses commandes en temps et en heure, sans dépassement de budget, le Tadone avait cette fois exigé de nouveaux pigments pour affiner des couleurs qui jamais n'avaient composé sa palette, il avait interdit d'accès le lieu à ses commanditaires, et repoussé l'inauguration de la chapelle d'une année complète.

Dans un message instantané, Mrs Green envoie à son mari un cliché du portrait contenu dans le médaillon, sans y ajouter de commentaire.

*

Affalé sur son sac à dos, il somnole au fond du car Greyhound, sur la route Interstate 87. À en croire la carte, il va bientôt quitter une plaine dépourvue du moindre attrait pour gravir les monts Adirondacks et leur parc naturel. Une vibration dans une poche intérieure le tire de son ennui ; il se reconnaît immédiatement dans ce portrait qu'il découvre enfin, ses pommettes, le dessin de ses lèvres, et surtout, cette étincelle au fond de la rétine qui rend chaque regard humain unique. Un reflet de lui-même bien plus ressemblant que sa photo anthropométrique qui se propage de façon virale de part et d'autre de l'Atlantique.

Les boiseries de la cabine se mirent à craquer de façon continue, signe d'une attraction vers le large, bientôt confirmée par les cris des haleurs. Le *Dragon Gally* quittait enfin ce maudit port de Gênes, bien plus agité que le plus mauvais océan. Tous à leur poste d'appareillage, les hommes s'animaient, réveillés par le vent et les embruns, pendant que sur la passerelle le capitaine Knight et son second, déterminés à rattraper un retard de trois jours, commandaient la manœuvre. Conformément à sa décision, le Français consentit à sortir de sa couche une fois l'ancre levée. Sans regret, il voyait s'éloigner cette ville dont il garderait un souvenir amer – de quoi élaborer une théorie bien paradoxale sur les abris supposés où se révèlent les pires dangers et, à l'inverse, sur les pièges notoires où l'on vous prête main-forte ; un jour il tenterait de trouver une logique à tout cela, car il y en avait une.

Cependant un point attira son regard au loin, un cheval qui terminait sa course sur le quai, et dont le cavalier, une fois à terre, levait le bras vers le *Dragon Gally*. Il s'agissait d'une femme, richement vêtue, à la chevelure défaite après sa chevauchée, et dont les traits, qu'il distinguait de moins en moins à mesure que le navire s'enfonçait vers le large, lui semblaient familiers.

Soudain son corps frissonna d'un vent glacé, de son front perla une sueur chaude. Au loin, ce point vacillant, c'était *elle*.

Mais devait-il en croire ses yeux ?

Dès le premier instant de son retour sur Terre il avait cherché cette silhouette-là, il l'avait rêvée chaque nuit, espérée chaque jour, aperçue à chaque heure, où qu'il fût, seul au milieu du désert ou noyé dans la foule. Cette silhouette-là avait nourri ses obsessions, alimenté ses délires, provoqué des hallucinations, hanté sa fièvre. Comment pouvait-il à cet instant se fier à une éternelle chimère ? Cette apparition qui s'estompait maintenant n'était-elle pas un énième mirage venu tourmenter son cœur contrarié par trop de vains espoirs ? Par quel miracle sa femme aurait-elle pu se trouver là, en chair et en os, si proche, si vivante, si réelle ?

S'il cédait à la folle impulsion qui le poussait soudain à se jeter par-dessus bord – comme le lui dictait sa nature –, il perdait tout espoir de suivre la piste ouverte par le capitaine Knight, la seule avérée, bien plus tangible que cette lueur évanescente qui se détachait sur un quai grouillant d'agitation.

Et pourtant il plongea.

Il plongea sans plus écouter les voix de la raison, il plongea pour contredire toute sagesse, car raison et sagesse ne l'avaient jamais encouragé en rien depuis le début de sa délirante épopée. Il plongea parce que son cœur n'aurait souffert aucun autre choix. Il plongea parce qu'il avait suivi trop d'ombres pour résister à celle-ci. Il se jeta à l'eau parce que sa foi le lui dictait : s'il avait une chance sur un million de la retrouver, cette chance-là devait être tentée, car la récompense était infinie, impossible à estimer, un million de fois supérieure à un million de déconvenues.

Il nagea jusqu'au quai, se hissa sur le ponton, marcha en direction de cette femme qui elle-même avançait vers lui. Une fois face à face ils se regardèrent un moment, laissèrent échapper un petit rire de surprise. Puis un même soupir de soulagement.

Ils s'étreignirent enfin.

*

Au loin, accoudé au rempart de la plus haute tourelle de la cathédrale San Lorenzo, qui dominait la ville de Gênes, un curieux personnage assistait à ces retrouvailles.

Il discernait comme si elles étaient à portée de main ces deux petites ombres qui maintenant n'en formaient qu'une jusqu'à l'indécence. Mais pour ce spectateur haut perché, la notion d'indécence n'avait aucune signification.

Il avait entendu parler des amants maudits après que Dieu, incapable de les mater, les avait chassés de son Éden. Il s'était réjoui de ce divin échec, petite victoire sur son éminent rival, car les millénaires avaient beau s'écouler, les points marqués en faveur d'un camp ou de l'autre n'étaient pas si fréquents et tous méritaient d'être comptabilisés.

Il avait salué la décision de Dieu de renvoyer les deux effrontés sur Terre afin d'éprouver le lien qui les unissait : libre à eux de le rompre pour suivre leur propre destinée ou, à l'inverse, de s'y accrocher pour remonter jusqu'à l'autre. La suite était désormais connue. Mais celui qui aujourd'hui les épiait de si haut, dans cette maison qui n'était pas la sienne, n'aurait pu imaginer que cet impossible exploit accompli par deux insignifiantes créatures terrestres allait saccager le grand ouvrage qu'il façonnait depuis la nuit des temps.

La détermination des amants lui avait offert, du moins au début, un spectacle aussi divertissant que dérisoire : ah, le noble espoir, arpenter les latitudes et sacrifier des années entières dans le seul but de fusionner à nouveau : *Lancez-vous chers enfants ! Courage, petits soldats du cœur ! Surprenez-nous, soyez vaillants !* Mais ce défi-là était devenu de moins en moins amusant à mesure que les deux naïfs, les deux innocents ridicules, les deux candides présomptueux, les deux nigauds passionnés, s'étaient ingéniés, sans même le savoir, à contredire un malin chef-d'œuvre.

Depuis cet instant fondateur où Caïn avait porté la main sur son frère, un monde nouveau avait vu le jour, aux fruits magnifiquement amers, aux chemins admirablement tortueux, preuve d'un esprit supérieur capable d'atteindre une irréprochable ignominie.

La tâche avait été exaltante autant que rude, longue de cent siècles – mais au regard du résultat, bien peu en vérité. La méthode, en apparence prosaïque, avait consisté à contrarier le dessein divin en créant pour chaque composante de l'âme humaine son symétrique, de force au moins égale, afin d'atteindre sa juste forme, comme le portrait fait bientôt oublier l'esquisse. Il lui avait donc fallu, à partir de l'harmonie originelle, engendrer le chaos. Mais du principe à l'exécution, nécessité de procéder dans l'ordre.

Là où Dieu avait différencié l'homme de la bête, lui s'était attaché à libérer la bête dans l'homme, laquelle s'exprima fort naturellement dès que l'occasion lui en fut donnée, et avec elle quantité de nouvelles et insoupçonnables dispositions de l'esprit ; trouver la bassesse là où il y avait grandeur, imposer l'indignité là où il y avait droiture, répandre la tristesse là où régnait la joie, transformer toute forme de loyauté en forfaiture.

L'invention de la cruauté – dont même le fauve est dépourvu – s'était imposée comme un corollaire de la rancœur, qui elle-même était née de la vengeance, soit la blessure suprême, là était sans doute la clé de toute son entreprise : la vengeance, qu'il avait lui-même appelée, en ange déchu, chassé du Paradis, renié par son Créateur, qui n'a pas soupçon du venin qu'il instille dans le cœur de celui qu'il punit, lui offrant ainsi toute légitimité à frapper bien plus fort que le coup reçu.

Quel type de consolation pouvait bien engendrer le pardon en comparaison de ce pur bonheur que d'offenser l'offenseur, justifiant ainsi toute violence, vraie, bonne, saine, prosaïque et tolérable violence. La vengeance et sa sainte Trinité – amertume, dépit, aigreur –, la vengeance, inépuisable manne, source d'énergie criminelle, qui explique à la fois l'impulsion du coléreux et l'infinie patience du rancunier ; ô vengeance qui d'un seul coup porté lave l'affront fait à Caïn quand il punit Abel d'avoir été préféré par Dieu. Qu'est-ce qu'une malédiction éternelle en comparaison de cet instant d'assouvissement ?

Au commencement donc était la vengeance.

Puis il avait fallu redéfinir les véritables règles qui régissaient les populations, et non une prétendue fraternité, cette facétie du Très-Haut – ou un accès de paresse, c'était selon. Et comment transformer des amis en ennemis, changer un Abel en Caïn, sans imaginer toute une gamme de conflits, fâcheries et griefs inédits, chacun d'eux constituant des sous-ensembles aux réjouissantes ramifications, faire honneur au joli mot de discordance, veiller à ce que toute querelle finisse dans le déchirement.

Le chapitre de la perversité lui avait demandé un grand sens du raffinement afin d'insinuer le vice là où régnait la vertu et corrompre ainsi toutes les lois du sens commun. Mais l'une de ses créations majeures avait été la médiocrité et ses dérivés car, à l'inverse des affections extrêmes, c'était selon lui dans la petitesse que résidaient la vérité des êtres et la vanité de leurs désirs. Le sournois n'était-il pas plus tenace et plus inventif que le véhément ? Certes, la haine, la rage et le mépris étaient indispensables, mais tous si ostensibles, si tragiques qu'ils drapaient de grandeur ceux qui s'y abandonnaient. Dieu, célèbre pour ses colères, s'était chargé de ces sentiments ultimes, commettant l'erreur de laisser à son rival le soin de façonner tous les autres, bien moins nobles, pour les léguer aux hommes, plus tentés par le mesquin que par le sublime. La médiocrité, son arme la plus redoutable, savait viser au plus bas, créer d'ordinaires objectifs à la portée du premier incapable, favoriser les petits arrangements, pieux mensonges, compromis et pis-aller. La rayonnante médiocrité était le ciment de son prodigieux édifice.

Mais voilà que cet édifice commençait à se fissurer depuis que ces deux-là, en contrebas, enchevêtrés dans leur interminable étreinte, avaient parcouru le monde en tous sens. À tant décrire *l'autre* et les raisons impératives de le revoir, ils avaient éveillé la curiosité des peuples, ils avaient ému les hommes et rassuré les femmes, ils avaient réconcilié les couples, ils avaient inspiré les jeunes, ils avaient bousculé les théories des savants, ils avaient contredit de sots principes édictés par de sottes gens, ils avaient démontré les infinies ressources du cœur, ils avaient contraint les tyrans, ils avaient bouleversé les sceptiques, ils avaient redonné espoir aux résignés. Et cette mosaïque de sentiments, où se mêlaient courage, affection, émoi, passion et tendresse, n'en formait désormais qu'un seul. C'était à se demander si cette croisade dont ils sortaient triomphants était bien celle de deux simples humains lassés des injustices de la Terre et du Ciel, ou s'ils n'en avaient été que les instruments, obéissant sans le savoir à une volonté supérieure, qu'on disait impénétrable, et qui par le passé avait envoyé, pour propager sa parole, un certain émissaire au destin tourmenté.

Peut-être son tout-puissant rival avait-il tenté à travers eux d'en proposer un nouveau, plus accompli puisque issu de la sainte alliance d'un homme et d'une femme, apte à réparer les égarements du passé en tenant compte de l'humanité dans son ensemble ? Cette fusion de deux êtres en une même entité avait peut-être une chance d'aboutir là où le précédent avait échoué – mais c'était une hypothèse que seul le Malin osait concevoir.

Quelle que fût l'origine de cette nouvelle ère, il fallait séance tenante y mettre un terme ; si les amants maudits avaient été capables d'accomplir une telle révolution chacun de son côté, où s'arrêteraient-ils une fois réunis ? N'allaient-ils pas compromettre son patient projet d'Apocalypse, invisible pour le commun des mortels, et qui pourtant les engloutirait tous ?

Là où Dieu avait échoué, il parviendrait, lui, le Malin en personne, à mettre un terme définitif à leur union et à faire cesser cette farce qui virait à la catastrophe.

Quittant son poste d'observation, il suivait maintenant les amants dans la foule, qu'ils fendaient main dans la main, sans trop savoir quel chemin emprunter pour trouver ce refuge tant mérité. À les voir ainsi sereins, comme si, à peine réunis, toutes leurs peines, leur fatigue, leurs inquiétudes, leurs tourments s'étaient estompés d'un coup, Satan se demanda, pris d'une sorte de mansuétude fort insolite chez lui, s'il ne devrait pas leur octroyer une heure ou un jour de paix, avant de les entraîner avec lui dans les entrailles de la Terre.

À six heures du matin, la vingtaine de passagers du Greyhound se réveillent, les thermos circulent, on fait un point sur les étapes franchies, on découvre le paysage à travers les fenêtres embuées. Le car longe par l'ouest le lac Champlain, qui autrefois était une mer comme le précise un globe-trotter bien renseigné sur la question. Mais son voisin de siège l'écoute de façon distraite, tout occupé à chercher sa femme sur un écran. À en croire le GPS, elle serait à peu près à la même hauteur que lui, sur la rive opposée du lac.

Rassuré sur ce point, il ne peut résister à la tentation de consulter les *#runninglovers* tombés dans la nuit. Il y trouve pêle-mêle des messages d'encouragement qui témoignent de la cote de popularité des amants en cavale, et d'autres plus cyniques où l'on calcule leurs chances, très réduites, de s'en tirer. Il repère le tweet d'un étudiant en lettres classiques qui réagit à l'incident du Chicago Theatre, ayant consacré sa thèse de doctorat aux *Mariés malgré eux*. Elle est consultable sur le site de l'Université de Durham : *Le repentir de Charles Knight. Essai de génétique théâtrale.* C'est l'occasion pour le doctorant de donner à lire son travail hors des sphères universitaires. Et pour Mr Green de retrouver une vieille connaissance.

Dès son introduction, le jeune chercheur avoue s'être lancé dans une enquête passionnante mais sans réelle résolution. Seuls les rares spécialistes de l'œuvre de Charles Knight savent qu'il existe une version antérieure de la pièce, créée un an avant celle que l'on joue désormais. Si les événements décrits varient peu d'une version à l'autre, le style, la matière, la profondeur, les psychologies et les enchaînements en sont métamorphosés. À partir d'un matériau brut, d'inspiration bouffonne, Charles Knight avait poli un petit joyau de comédie dramatique, si bien qu'avec le temps cette seconde version des *Mariés malgré eux* était devenue un cas d'école emblématique du droit, de la nécessité, et du devoir de repentir d'un auteur sur son œuvre.

Que s'était-il passé dans la vie de Charles Knight pour qu'il décide de transfigurer sa pièce ? L'étudiant émet l'hypothèse, selon lui la plus probable, de la rencontre amoureuse, assez puissante pour bouleverser ses certitudes, le débarrasser des stéréotypes et raviver son inspiration. Embrasé par la passion il avait enfin su la décrire ! L'amour lui avait donné un talent que la rupture lui avait par la suite repris, car plus jamais il ne retrouverait une telle fougue et une telle inventivité dans son écriture.

Hélas, après avoir passé au crible la correspondance de l'auteur, examiné les registres de sa pension, recoupé toutes les publications sur la vie littéraire de l'époque, feuilleté les carnets mondains des gazettes, lu les Mémoires du directeur du Pearl Theatre, le malheureux chercheur ne parvient pas à démontrer la thèse du coup de foudre et se limite à une étude comparée des deux versions sans expliquer de façon formelle ce revirement.

Mr Green imagine l'agacement de l'étudiant après des années de dévouement à Charles Knight, qui trois cents ans après sa mort savait encore exercer son seul vrai talent, celui d'exaspérer. Ô ingratitude de l'auteur envers ses exégètes futurs ! Rien, pas une seule piste, pas la moindre note en coin de manuscrit, pas le plus petit billet. Le dramaturge n'avait pas eu la décence de présenter sa muse à quiconque, privant ainsi des générations de spectateurs d'un éclairage capital, et un vaillant doctorant d'une découverte majeure qui aurait permis à son *Essai de génétique théâtrale* de dépasser le simple objet d'étude. Il aurait alors entrepris une œuvre d'une autre envergure, rien de moins qu'un essai sur la pâmoison littéraire.

Un comble en effet pour qui avait connu en personne Charles Knight, drapé dans sa posture d'écrivain, ému par ses propres vers, riant à ses propres répliques ! Lui qui extériorisait tout, ses agacements comme ses exaltations, avait su taire l'existence de son coauteur dans le seul but de se réserver l'absolue paternité de l'œuvre.

Mr Green se souvient de leurs prises de bec sur certains passages, notamment celui où les médecins s'efforcent de voir les jeunes mariés comme de grands malades – l'un d'eux avait proposé pour de bon de les dépecer et, si à l'époque on avait utilisé des écorchés en cours d'anatomie, les amants auraient sans doute fini sur une petite potence au fond d'une classe. Knight avait refusé d'y croire et plus encore de s'en servir à des fins de comédie. Mais le Français reconnaît aujourd'hui que l'irascible auteur avait souvent eu raison de lui tenir tête, la preuve en était cette représentation au Chicago Theatre qui continuait à faire parler d'elle.

Ah, si Charles Knight avait été présent, comme à l'époque où il se cachait dans les coulisses les soirs de générale ! Lui qui redoutait la pingrerie du directeur du Pearl, lui qui avait été joué dans des basses-cours par des troupes calamiteuses, n'en aurait pas cru ses yeux devant tous ces figurants en redingotes, ces baladins, ces mandolines et ces pipeaux, ces notables cousus d'or, ce chapelet de prélats, cette horde de gueux. Ce soir-là, il aurait assisté à un triomphe qui valait cent rappels. Ce soir-là, il avait offert à chaque spectateur une heure d'héroïsme.

À la demande des voyageurs, le chauffeur du car se gare sur une aire de stationnement. Mr Green referme son ordinateur, tout surpris par ce regain de nostalgie à l'évocation de l'ombrageux Charles Knight. Le vaillant étudiant de Durham ne saura jamais que la clé du mystère de son repentir réside non dans la rencontre amoureuse mais, au contraire, dans une détestation partagée, si féconde au final.

Mr Green sort faire quelques pas au bord du lac Champlain dont il ne peut distinguer les contours de par son immensité. Un faux air d'océan que vient accentuer le passage d'une goélette toutes voiles gonflées.

*

Au lieu de l'apaiser, la proximité du lac inquiète le petit Nathan, qui a horreur du vide. Pour le tirer de son mutisme, sa mère lui demande de décrire sa chambre à Mrs Green. Là où d'autres gosses commenceraient par le papier-peint ou les jouets, il se lance dans une lente énumération du contenu de chaque tiroir de chaque meuble, mur après mur. Sa maniaquerie le rassure et le met en joie. Mrs Green s'intéresse, pose des questions, mais son attention décroche quand Nathan l'invite à le suivre dans le débarras, dont les rayonnages sont nombreux et chargés de boîtes de couleurs différentes selon l'usage. À la dérobée elle garde un œil sur son écran où vient de s'afficher un nouveau *#runninglovers*.

Dans un site de libre parole, de débats d'idées et de polémiques, un philosophe de quatre-vingt-six ans, qui se déclare volontiers misanthrope et s'autoproclame *dernier anarchiste en vie*, reconnaît que l'affaire des Français hors-la-loi a gaiement réveillé son sens de la révolte. La traque de ces deux-là importe peu, moins encore son issue, seul compte le symbole dont ils sont les involontaires porteurs. Car cet homme et cette femme activement recherchés ont échappé à toute classification administrative ; jamais on ne les a nommés, baptisés, déclarés, répertoriés, affiliés, recensés, incorporés, mobilisés, assujettis, convoqués, réquisitionnés, ou encartés. Dès lors, le terme de marginaux paraît bien faible pour qui se contente de les définir ainsi.

Tout individu ayant rêvé d'être *un homme de nulle part* découvre ici un précédent. S'il a perdu le sens de l'utopie, s'il se sait condamné à cette civilisation qui ne fera plus machine arrière, s'il se désole du désarroi général sans rien pouvoir y changer, il lui arrive parfois de s'imaginer faire bande à part et renier tout projet collectif.

N'obéir à aucun code. Être invisible. Ne prétendre à rien. N'avoir aucun compte à rendre. Nier le sens commun. Prouver en disparaissant que rien de ce que propose l'évolution n'a d'intérêt. Échapper à l'universel. Déclarer en le fuyant que ce modèle mis au point par des centaines de générations d'hommes de bonne volonté est un monstrueux ratage. Refuser de contribuer à ce gâchis. Remettre en cause tout message de partage et d'avenir. Se proclamer orphelin de la grande famille humaine. Décréter vaine toute loi et s'interdire d'en inventer de nouvelles. Mépriser le sens commun. Et dire à ceux qui s'avisent de gouverner tout ce beau monde que tout ce beau monde ne les croit plus.

Seul compte ce fantasme d'avoir échappé au temps présent, qui avance, sûr de sa légitimité, incapable de douter de lui-même. Le simple fait que deux individus aient réussi à passer entre les mailles de la grande toile éclaire différemment le quotidien de chacun, conclut le philosophe. Certains rites obligés, parmi les mille auxquels on se sent soumis chaque jour, sont à remettre en question d'urgence.

Nathan vient de terminer l'inventaire détaillé de sa chambre. Louise quitte la route nationale pour faire un détour par une ferme laitière du Vermont afin d'y faire le plein de produits bio. À peine a-t-elle bifurqué qu'un camionneur, agacé de la trouver sur sa route, baisse sa vitre pour hurler : *Go to hell !*

Mrs Green lui répond que, pour sa part, c'est déjà fait.

Ils furent vomis dans un espace aux parois saillantes et translucides, des roches de lumière dont les aspérités créaient un scintillement aveuglant, n'offrant aucune ombre, aucun recoin pour y reposer le regard. En fait de ténèbres il s'agissait d'une aire à l'insoutenable brillance dont les amants crurent à tort être les seuls occupants.

On les instruisit sur leur châtiment. Erraient là tant d'autres couples qui avaient vécu un attachement démesuré, certains ayant commis au nom de ce lien des abominations, causé des dommages irréversibles, suscité la folie, donné la mort, et longue était la liste des crimes perpétrés au nom de la passion.

Les couples adultères constituaient le plus grand nombre, certains ayant aggravé leur forfait en s'enflammant pour le frère ou la sœur de leur conjoint, parfois même le père ou la mère de celui-là, ou même leur fils ou fille issus d'un premier mariage. Ne pouvant refréner leur penchant, ils avaient brisé une famille entière et frappé du sceau de l'infamie toute descendance.

D'autres avaient transgressé la première loi qui différenciait l'homme de la bête en forniquant au sein d'une même famille, et ces incestueux, qui déjà de leur vivant avaient connu les pires tourments moraux, n'attendaient plus aucun signe de miséricorde.

Ils n'étaient cependant pas les premiers sur l'échelle de l'abjection, nombreux étant ceux qui, aveuglés par un désir interdit, avaient tué. Combien d'amants félons s'étaient imaginé qu'une promesse de bonheur les attendait après s'être défaits d'un encombrant mari ou d'une affligeante épouse.

Mais il y avait pire encore. Et ces couples-là passaient pour des monstres aux yeux des autres. Pour des raisons connues d'eux seuls, ils s'étaient débarrassés de leurs enfants, devenus des obstacles, des fardeaux. Les plus chanceux de ces innocents avaient été opportunément égarés sur le bord d'une route. D'autres avaient été assassinés sans que leur corps ne trouve de sépulture décente.

Les deux nouveaux arrivants en furent tout étourdis. Là était donc la place qui leur était réservée ? Quelle faute avaient-ils commise pour qu'on les range parmi les délictueux ? Comment comparer la douce fièvre qu'ils avaient éprouvée l'un pour l'autre avec ces accès de démence qui avaient causé tant de drames ? Il n'était certes pas de leur ressort de juger et encore moins de condamner ceux que la passion avait dévorés, mais qu'avaient-ils de commun avec ces malheureux ? Tout à l'inverse, ils avaient pris soin d'entretenir le brasier de leurs cœurs sans que personne n'en souffre. Jamais ils n'avaient porté atteinte à des tiers, ils s'étaient même éloignés de leurs familles, comme s'ils n'étaient nés de personne car leur vraie naissance s'était accomplie au premier jour de leur alliance.

Sachant dans quel décor ils allaient évoluer et quelle compagnie ils allaient côtoyer, ne leur restait plus qu'à apprendre en quoi consistait leur supplice.

Lentement ils sentirent s'opérer une métamorphose, comme s'ils retrouvaient soudain leur enveloppe terrestre ; leur peau se reforma, leurs contours se redessinèrent, leur image réapparut, ils éprouvèrent à nouveau des sensations humaines. En retrouvant leur aspect ils se découvrirent enlacés, leurs yeux se reconnurent, leurs souffles se mêlèrent. Ils recouvrèrent la parole et prononcèrent quelques mots qui se perdirent dans un écho.

Mais à peine avaient-ils repris conscience de leur étreinte qu'un vent léger les entraîna dans un mouvement subtil qui les fit tournoyer sur eux-mêmes. Leurs corps entremêlés décrivirent des cercles de plus en plus larges, et ils se blottirent davantage pour affronter ce tourbillon, encore à ses prémices. Tantôt les pénitents restaient suspendus, presque immobiles, tantôt une bourrasque les soufflait avec tant de violence qu'elle les faisait s'abattre contre une paroi de lumière. Alors ils tombaient à pic comme s'ils chutaient du haut d'une falaise, mais un vent les cueillait à nouveau, les poussant vers une autre destination et une nouvelle collision à leur briser les os.

La vraie signification de ce mouvement inexorable et de cette lumière crue leur apparaissait enfin. Pris dans une tourmente qui leur interdisait de se détacher, un même doute s'immisçait en chacun d'eux : et si l'autre n'était plus celui qui soutient mais celui qui entraîne ? Qui blâmer pour le calvaire subi sinon ce comparse qui vous poursuit depuis la terre et vous égare dans ses projets indécents ? Invariablement, de cette étreinte naissait le mépris ; le visage de l'autre, après avoir été le plus charmant, devenait hideux, son souffle fétide. Son sourire virait à la grimace. Son corps, si recherché naguère, provoquait la répugnance. Sa voix qui avait prononcé tant de galantes paroles grondait d'amers griefs. Le message du Diable s'en trouvait plus clair : votre fascination sera désormais votre hantise.

En général satisfait de l'ironie des tourments qu'il infligeait aux damnés, le Diable se réjouissait particulièrement de celui-ci, pour lui si typique de l'horreur conjugale. Ah la belle invention que le couple, s'aliéner à un autre, absorber son rayonnement comme la Terre le Soleil, se laisser envahir par sa présence, unique, persistante, lourde, ineffaçable, jusqu'à ce point de dégoût où seule la haine, issue elle-même de la passion, saura remplir les cœurs parfois jusqu'à l'extase ; ô haine jouissive, seul baume assez puissant pour apaiser la douleur de l'échec.

Qu'en sera-t-il de votre capiteux désir, de vos tendres élans, après avoir dansé une éternité en pleine lumière ?

Leur embrassement tournoyait dans les airs, décrivant des courbes savantes, et dans les plus vifs remous ils sentaient à la fois battre leur propre cœur et celui du bien-aimé. S'ils n'avaient aucune prise sur leur trajectoire, ils savaient s'abandonner à sa vitesse et anticiper ses détours ; à intervalles irréguliers, ils s'abattaient contre une roche et l'impact retentissait dans leurs os, leur arrachait un cri, leur coupait le souffle. Dans la chute, interminable, ils murmuraient une parole de réconfort avant d'être aspirés par un nouveau courant. En de très rares moments, ils croisaient un autre couple qui voguait dans un souffle contraire ; bien étrange était cette rencontre de moins d'une seconde où soudain ils étaient confrontés à des semblables, jadis humains, désormais âmes errantes.

*

Le Diable, trop occupé à pourrir le monde de demain, avait fini par oublier les amants maudits. Et ce fut presque par hasard si, une éternité plus tard, il les fit mander pour s'assurer de son triomphe.

À peine les eut-il devant lui, agenouillés, les paumes sur les yeux comme pour cacher leurs larmes, qu'il comprit la mascarade qu'on lui jouait. En vérité, pas de contrition dans leur regard, pas la moindre supplique issue de leur bouche, leurs traits étaient purs de toute expression de haine, leurs corps exempts des griffures, coups et morsures qu'ils étaient censés s'infliger. Car ce couple-là avait déjà été puni, sur la Terre, puis au Ciel, et sur la Terre à nouveau. Il avait été persécuté dès le premier jour, il avait subi la peine capitale, il avait été sermonné par Dieu, puis chassé de son Paradis, il avait connu la tempête, la fièvre, la prison, l'asile, l'acharnement des hommes, la menace des bêtes, la violence des éléments, tant de tourments subis au nom d'un seul : la privation de l'être aimé. Et voilà qu'une puissance démoniaque leur avait infligé une promiscuité inespérée, le plus charmant des supplices, une occasion parfaite de rattraper le temps perdu à se chercher sur Terre. Combien de caresses trop longtemps retenues ? Combien de confidences à échanger ? Combien de larmes à essuyer, de plaies à soigner ? Combien de souvenirs à partager ? Combien d'épisodes traversés en veillant à n'oublier aucun détail afin qu'un jour ils puissent le raconter à l'autre, et peut-être en rire. Aussi cette menace de l'odieuse osmose avait pris un tour bien différent. Ils y avaient vu un symbole : le fondement premier du couple n'était-il pas d'affronter à deux les vents contraires ?

Le Diable se rendit à l'évidence : cette épreuve les avait rapprochés plus encore. Une transe trop vite abrégée ! Tout ce temps offert à leurs retrouvailles ! Une provocation dont la rumeur bruissait déjà dans les autres cercles de son Enfer. L'échec était cinglant et le scandale complet.

Sans s'avouer vaincu, le Diable tenta une manœuvre qui par le passé s'était révélée imparable. À chacun d'eux il fit entrevoir le bonheur qu'ils auraient pu connaître s'ils ne s'étaient jamais croisés.

Le génie du mal méritait ici sa réputation. En leur proposant un destin exceptionnel, il n'allait pas commettre l'erreur de les soumettre aux habituelles tentations pour lesquelles se damnerait la première âme venue – sur ce plan les humains étaient fort prévisibles, la plupart se jetant sur les promesses d'opulence et de lucre, d'autres préférant assouvir de vicieuses pulsions, dévorés de désir pour des corps d'une incomparable beauté. Et, afin de jouir en paix de tous ces bonheurs, le Diable apportait une garantie sans laquelle son marché était caduc : une totale et irrécusable impunité, Graal suprême de tout profanateur.

Mais, avec ces deux-là, capables d'exaspérer leurs hôtes les plus patients, il fallait procéder autrement.

Ainsi chacun vit dérouler sous ses yeux le sort qui aurait pu être le sien.

*

Le braconnier se revoit maintenant marcher dans sa forêt, prêt à relever ses collets, sans savoir qu'au bout du chemin l'attend sa promise.

Or il entend les râles d'un malheureux, abandonné au pied d'un arbre par des scélérats qui viennent de le détrousser sans se priver de le rosser pour le plaisir. Après tout, le braconnier n'a pas vocation à secourir tous les moribonds du monde, et Dieu sait s'il en a croisé, il a lui-même frôlé la mort sans que personne ne s'en émeuve. Mais sa conscience le travaille et, de mauvaise grâce, il consent à gaspiller son temps et sa force à charger le blessé sur son épaule pour tenter de lui sauver la vie dans le village le plus proche.

Il se trouve que le miraculé est bien né, un baron régnant sur un immense domaine. Éperdu de reconnaissance, il ouvre à son sauveur les portes de son château. Le baron et le braconnier deviennent amis, cette expérience commune les a transformés tous deux. En secourant un mourant, l'homme du peuple se découvre une capacité de compassion qui bouscule ses principes égoïstes au point de faire naître en lui des idéaux de bienfaisance. En se voyant sauvé par un humble, le baron réalise soudain la vanité de ses volontés de puissance et de richesse ; touché par la grâce, il veut rendre ce qu'il a reçu.

Ils forment ensemble le projet d'une société dont la vocation consiste à offrir des soins aux plus démunis, à bâtir des refuges et des hôpitaux où les vagabonds seront humainement traités. À la cour de France, le baron instruit le roi lui-même de son projet, un roi que l'on dit malade et qui l'est plus encore. Au seuil de la mort, résigné à rejoindre Dieu, il signe le décret que le baron lui soumet pour laisser de lui le souvenir d'une infinie bonté.

*

De son côté, la jeune fille, ce matin-là, s'est levée dès la rosée pour aller cueillir des fleurs dont les dames de la seigneurie aiment à orner leurs salons. En quittant le château, plus riche de cent sous, elle a le choix de retourner en forêt – sans se douter qu'elle va y rencontrer un certain braconnier – ou de dépenser son salaire chez un savetier afin de remplacer des souliers trop vite usés par ses incessantes randonnées.

Elle choisit le chemin du bourg et croise dans une rue mal famée une mendiante rachitique, qui, faute d'inspirer la pitié aux passants, devra bientôt vendre son corps si elle veut survivre. C'est alors que la glaneuse prend la folle décision de lui donner ses cent sous pour soulager sa détresse, calmer sa faim et peut-être sauver sa vertu. La mendiante, qui n'en croit pas ses yeux, pleure dans les bras de cette généreuse inconnue et quitte ce quartier de perdition.

Pourtant c'est dans ce même quartier qu'un an plus tard la cueilleuse retrouve sa mendiante, qui a créé avec l'aide d'anciennes filles perdues un ordre laïque consacré à la cause des femmes en disgrâce. C'est désormais une armée qui s'apprête à rejoindre la cour de France. Bienfaitrice involontaire de cet ordre, la cueilleuse lâche son panier pour monter à Paris, où elle s'attire le respect du roi et obtient la reconnaissance de droits en faveur des femmes.

*

Les amants maudits furent frappés de stupeur. Le Diable n'aurait pas été le Diable s'il n'avait été capable d'atteindre ce point incandescent de perversité en prônant le bien et non le mal pour parvenir à ses fins. Magistral ouvrage, comble à la fois de l'ironie et de la perfidie, que de soumettre ses damnés à la tentation du bien, car aucune autre, il le savait, n'aurait eu la moindre chance de créer le doute en eux. L'occasion leur était donnée de marquer à jamais l'histoire humaine en contribuant de façon inespérée à un monde meilleur, celui qu'ils auraient aimé trouver à la naissance.

Ils n'avaient désormais qu'un mot à dire pour se retrouver dans cette forêt-là, ce matin-là, la mémoire vierge de tout souvenir. Prêts à s'engager dans une aventure où chacun côtoierait le sublime et non plus l'adversité. Prêts à vivre le tout premier jour, non de leur idylle, mais de leur mission humaniste. Cette chance que Dieu ne leur avait pas accordée, le Diable la leur offrait.

Il leur suffisait de se renier l'un l'autre.

*

Cependant les amants ne se sentaient aucune vocation à être canonisés. La passion qu'ils se vouaient les avait rendus plus sensibles aux douleurs de leur prochain et jamais ils n'avaient raté une occasion d'accomplir un geste gracieux. Mais ces nobles sentiments prenaient leur racine dans un seul, qui s'était imposé à eux un certain matin d'automne. Et sans doute ne se seraient-ils jamais souciés d'autrui s'ils n'avaient connu cet irrépressible élan vers un merveilleux inconnu. Sans le plein accomplissement de ses propres désirs et de ceux d'une âme sœur, altruisme et don de soi n'étaient que de pieux principes, vides de conviction mais pleins de feinte solennité. Comment s'imaginer accomplir le plus petit acte de charité sans avoir connu, en tout premier lieu, cette révélation-là ? Le braconnier et sa glaneuse avaient le cœur grand comme une église, mais celle-ci leur eût paru bien déserte si l'autre jamais n'y avait pénétré.

Au Diable ils exprimèrent leur gratitude, mais ils n'étaient pas dignes de cet honneur et ils se prétendirent incapables de parcourir un tel chemin de miséricorde. Devant l'ampleur de la tâche, ils préféraient retourner à leur sort de pénitents, à jamais unis dans le supplice des vents.

*

On assista alors à un spectacle inédit depuis la création des Enfers et qui jamais ne devait se reproduire. Le Malin quitta sa posture pour faire part de sa réelle indignation, les traitant d'égoïstes, et les pires jamais reclus chez lui, au point qu'il admit s'être trompé en leur ayant réservé le cercle des luxurieux au lieu de celui des indifférents. Comment osaient-ils préférer leur misérable intimité à cette occasion unique de donner aux humains le sens de l'équité, leur épargnant des siècles d'injustices et d'errements ?

C'était bien Satan qui parlait ainsi, sincèrement accablé comme aurait pu l'être un cœur noble, l'ange qu'il avait été jadis avant d'être déchu.

Son courroux en rappelait un autre aux amants, issu du même reproche d'ingratitude. Après les invectives de Dieu ils subissaient celles du Diable, et dans des termes somme toute assez proches.

Échouer à son tour plongeait le Diable dans un état inconnu. Pour la toute première fois on le décrivit comme dépouillé de son aura malfaisante, en recherche de sa dignité perdue, une bien indigne préoccupation pour qui était chargé d'accueillir les indignes dans son antre en fusion.

Les deux maudits en furent presque peinés ; triste spectacle que de constater une fois encore – peut-être la centième depuis leur tour du monde – que tout cynique devient l'être le plus démuni quand son cynisme lui revient au visage. Lui, l'auteur du catalogue universel de la faute, était incapable par pur orgueil de reconnaître la sienne. De maître des Enfers il devenait le roi des vaniteux, et l'annonce d'une telle vexation se propagea parmi les damnés reclus ici depuis la nuit des temps ; gouverné par sa suffisance comme un banal mortel, il n'avait pas su tenter ni punir deux âmes simples, pas plus qu'il n'avait insinué en eux l'horreur du remords. Il perdit alors son titre de grand ordonnateur des pénitences.

Et Satan fut la risée de tous.

Il les reconduisit lui-même aux portes des Enfers.

Après s'être assoupie un long moment, Louise reprend le volant, déterminée à atteindre avant la nuit le poste-frontière de West Berkshire qu'elle décrit comme *une cabane au milieu des pins*. Une fois installée à l'arrière, Mrs Green, l'écran sur les genoux, profite d'un signal de réseau suffisant pour regarder les informations sur une chaîne locale, puis consulte les *#runninglovers* qui affluent par dizaines.

Le plus intrigant est celui d'un employé aux archives de la préfecture de Seine-Saint-Denis qui pense avoir fait le lien entre la pièce *Les mariés malgré eux* et le fait divers réel dont elle s'inspire.

Il vient de numériser et de mettre en ligne deux documents relatifs à l'affaire, datant du XIIe siècle, d'un couple condamné à mort pour blasphème. On trouve d'une part un procès-verbal d'audience, et d'autre part un *dictum*, l'acte d'accusation que l'on criait en place publique afin d'informer le peuple venu assister à une exécution.

Lesdits furent menés en ce point ès Halles de

Paris, assis sur une planche en la charrette, vêtus d'une chemise et de chausses blanches.

Sans se prétendre historien, il souligne des détails qui prouvent que cette affaire-là n'avait pas été traitée selon les procédures de l'époque. Il invite quiconque voudrait pousser plus loin les investigations à venir consulter les originaux des documents dans ses réserves.

En relisant in extenso le procès-verbal d'audience, Mrs Green, la gorge nouée, voit ressurgir intacte la hargne des témoins à charge, la vindicte des religieux, l'hypocrisie des juges. Mais à l'heure des réquisitoires, une phrase prononcée par son mari vient atténuer la violence de toutes les autres. Pour voir si elle a résisté au temps, elle la lui envoie par message instantané.

*

Le car Greyhound ne s'arrêtera plus avant le poste-frontière de Saint-Bernard-de-Lacolle. Un habitué de la ligne, type latino, explique à Mr Green qu'un Blanc muni d'un passeport américain n'a rien à craindre. Et Mr Green qui jusque-là n'avait rien à craindre s'inquiète quand un inconnu tente de le rassurer. Pour couper court à la conversation, il saisit un journal abandonné sur un siège. Et le regrette à peine l'a-t-il ouvert.

Un éditorialiste du *Washington Post* agacé par l'intérêt qu'on porte à l'affaire des Français en cavale lui consacre paradoxalement une pleine page. Au propre comme au figuré, le monde subit un séisme par jour, aucun des cent conflits mondiaux ne connaît de fin paisible, la fracture Nord/Sud se creuse de façon irréversible, les ressources naturelles sont hypothéquées, chaque être humain vit à crédit sur un futur compromis, chaque enfant peut virer *mass murderer* à cause d'un jeu vidéo, et l'on perd son temps avec un fait divers ! À croire que le public s'est lassé de l'Histoire en marche et des morts qu'elle laisse derrière elle. Sur quatre colonnes il pousse un cri d'impuissance, lui qui trente ans plus tôt s'était engagé dans le journalisme au nom de la défense de la démocratie, lui qui avait soulevé des affaires, dévoilé des scandales, anticipé des complots, lui qui avait parfois su façonner l'opinion publique, voilà qu'en fin de carrière l'opinion publique le façonnait, lui. Il n'y a pas si longtemps, il envoyait ses reporters dès qu'une révolution sourdait quelque part dans le monde. Aujourd'hui il suffit de se connecter sur YouTube ! Et les politiques, l'œil rivé sur les réseaux sociaux, n'ont plus besoin de communiquer par voie de presse, un tweet rageur tapoté du bout du monde atteint bien plus vite sa cible. L'information vient d'être assassinée par le *buzz*, concurrent invisible et invincible qui choisit ici de s'arrêter sur un petit couple de clandestins – des Français ! –, marginaux dans leur pays, connus des services de police pour leur insoumission. Les États-Unis ne comptent-ils pas assez de malfaisants pour s'intéresser à ces deux-là ? Dès lors, pourquoi s'étonner de la disparition des idéologies, de la démission des élites et de la fin des grandes espérances ?

Mr Green interrompt sa lecture quand il reçoit un texto de sa femme :

C'est une fort belle chose que d'honorer Dieu, mais c'est lui rendre un parfait hommage que de chérir une de ses créatures plus encore que Lui-même.

Il ne se souvient pas d'avoir prononcé cette phrase mais il la trouve juste. Et finalement, assez logique.

Le maître des Enfers ne les avait pas rejetés là par hasard.

Il leur avait imposé ce cadeau empoisonné, espérant que le monde moderne leur en réserverait de bien pires. Car en cet endroit précis du globe, quelque dix siècles plus tôt, les amants avaient échangé leur tout premier regard à en perdre connaissance. Et à nouveau ils faillirent s'évanouir, pour des raisons cette fois fort éloignées de toute pâmoison.

Ils se retrouvaient au milieu d'une aire immense, remplie d'une myriade de blocs métalliques dont certains étaient mobiles, se frôlant et se croisant dans d'exigus passages, de petites voitures sans attelage, bruyamment propulsées par leur propre mécanique, contenant chacune un à quatre passagers. Celles qui arrivaient dans cette enceinte prenaient la place de celles qui en sortaient, en se parquant selon un ordre tracé en blanc sur un sol noir étonnamment plat. Une fois hors de leur véhicule, les occupants se munissaient d'étranges brouettes en fer forgé avant de s'engouffrer dans une énorme halle recouverte d'un toit, longue comme cent granges alignées et haute comme une citadelle.

Il s'agissait du parking d'un centre commercial dans son léger va-et-vient du matin.

Épouvantés, les amants serrés l'un contre l'autre tentèrent de fuir ce décor démesuré, aux contours et aux matériaux inconnus, aux bruits inédits, aux remugles inquiétants, à l'énigmatique symétrie. Comme encerclés à ciel ouvert, ils longèrent les grilles de l'enceinte sans trouver d'issue, quand soudain ils aperçurent au loin, comme un phare dans la nuit, la cime d'un chêne. Priant pour y trouver une forêt, intemporel abri, ils s'élancèrent vers lui mais s'arrêtèrent au bord d'une autoroute infranchissable sinon au péril de leur vie, une frontière furieuse où des files entières de ces véhicules infernaux se croisaient comme s'ils se chargeaient les unes les autres en s'évitant au dernier moment – une guerre dont ils ne voulurent pas connaître le détail. Profitant d'une trouée, ils s'élancèrent vers les bois et s'y enfoncèrent jusqu'à ce que s'estompe le bruit de ces monstres de métal. À bout de souffle ils se laissèrent glisser à terre comme deux petits soldats hors de portée des canons, épuisés mais vivants.

Tous deux se remémoraient ce triste matin où, bannis par leur village, ils avaient rassemblé à la va-vite leur barda ; comment oublier ce chagrin si particulier de celui qui fuit sa terre, cette sensation d'abandon qui fait de l'adulte un orphelin, d'un honnête homme un vagabond, condamné à rester un passager sédentaire dans un pays inconnu. Et même si ce pays offre des paysages sublimes et des richesses naturelles, il portera à jamais le nom de nostalgie pour celui qui vient d'ailleurs.

Or en cet instant précis, et dans cette forêt-là, ils auraient dû éprouver le sentiment inverse, celui du légitime retour. Cette forêt était la leur, ils y étaient nés, ils s'y étaient nourris, ils y avaient abrité leur amour naissant, ils s'y étaient cachés des importuns, et personne ne la connaissait mieux que la glaneuse et le braconnier de jadis. Après avoir parcouru le monde de part en part, son Ciel et son Enfer, leur cœur aurait dû leur dire : *C'est ici.* Le vent qui soufflait aurait dû chanter comme une mélodie, les arbres auraient dû ruisseler de sève, l'humus parfumer l'air, les fruits regorger d'un jus suave, la faune s'agiter à foison, les frondaisons envahir l'horizon.

Et pourtant ils ne reconnaissaient en rien leur forêt d'antan, désormais ordonnée et propre, taillée, clairsemée, sèche, désertée par toute forme de vie, y compris les insectes. Elle ne donnait ni baies, ni gibier, ni même une ombre, et sa lumière semblait terne et brouillée comme le vert des feuilles et le brun de la terre. Impossible alors d'espérer s'y bâtir un refuge, de s'y refaire une vie. Bien vite, il leur faudrait retourner dans le monde et tenter de s'en accommoder.

*

Se mettre à jour de trois cents ans de civilisation leur prit moins de deux heures. Pendant leur absence on avait créé des écrans capables de contenir toutes les images du monde, de donner accès à l'ensemble des connaissances humaines, de rendre la planète bleue visible du ciel, de dessiner les contours de l'infiniment petit, de permettre de s'introduire dans chaque foyer, fût-il aux antipodes. Et si l'on tenait à s'y rendre, un avion vous y déposait en moins de temps qu'il n'en fallait pour oser imaginer un tel voyage. Ayant traversé les océans, les déserts, les steppes, à pied, à cheval, en bateau ou à dos de dromadaire, les amants s'interrogèrent : se seraient-ils retrouvés plus vite s'ils s'étaient cherchés aujourd'hui ?

Ils étaient en droit de s'attendre à de grands bouleversements philosophiques et politiques mais la formule de la cohabitation harmonieuse entre les peuples n'avait pas encore été découverte. La quasi-totalité des États avait choisi un modèle économique basé sur le profit et la consommation, et un système de gouvernement où s'affrontaient progressistes et conservateurs. Dans ce monde nouveau on s'étripait toujours au nom des idéaux, des races, des religions et des ressources naturelles, mais cette fois avec des arsenaux capables de déclencher des cataclysmes, et ce malgré les incessants conciliabules des dirigeants. Les cartels financiers, consortiums, trusts et holdings, qui avaient remplacé les potentats et les monarchies, se livraient une guerre avec une sauvagerie dont les tyrans de naguère auraient été incapables, lesquels avaient presque tous disparu, dépassés par une autorité bien supérieure à la leur, celle des marchés. Comme par le passé, s'élevait parfois la voix de la sagesse et de la bienveillance, mais il suffisait qu'un sage soit mêlé à dix autres pour sombrer lui-même dans la cacophonie et finir par crier lui aussi au lynchage. Si de chaque individu on pouvait se faire un ami, le groupe restait infréquentable.

Ils découvrirent aussi – c'était là une horreur tout à fait inédite – que l'espèce humaine avait obéi à une volonté systématique, tenant à la fois du crime et du suicide, de mettre à sac la nature qui la nourrissait. Et Dieu sait si les amants avaient vu des pillards à l'œuvre. L'homme nouveau, s'arrêtant devant un paysage aux reflets délicats, s'était demandé comment l'enlaidir. En respirant la brise chargée des parfums de la flore, il s'était ingénié à l'empuantir. En croisant un animal majestueux et indompté, il s'était interrogé sur la manière la plus sûre de l'exterminer. Grâce aux progrès de la science, il savait comment empoisonner une rivière et contraindre un champ à ne plus rien donner. Persuadé de son hégémonie sur Terre, il s'était imaginé qu'en détruisant toutes les autres espèces la sienne serait épargnée. La nature qui jusque-là s'était réparée elle-même semblait avoir épuisé toutes ses ressources et se laissait mourir, souillée et humiliée. Ce monde où vivaient heureux des glaneuses et des braconniers était mort avec eux.

Ils auraient pu malgré tout s'adapter à la vilenie de ce siècle si celui-ci n'avait été aussi arrogant et péremptoire. Stupéfaits par l'odieuse logorrhée humaine, ils pénétrèrent dans des bibliothèques virtuelles et se perdirent dans des labyrinthes de discours où s'exprimaient l'homme politique comme le simple citoyen, l'intellectuel comme le vulgum pecus, le religieux comme le laïque, eux-mêmes commentés par des analystes, experts et observateurs, tous déterminés à faire sens, tous possédant le copyright de la vérité, tous persuadés d'être dotés d'une conscience mais dépourvus du moindre doute. Les amants se souvinrent de leur année passée à apprivoiser les mots, à oser les recréer sous la plume, à articuler une pensée. La moindre phrase était autant un arrachement qu'une victoire, et le simple fait qu'un autre la lise était un honneur. Et voilà que l'homme avait dévoyé, dilapidé le langage, et pour quel résultat.

Après avoir connu l'obscurantisme puis la lumière, les amants auraient pu délivrer un message aux hommes avant qu'ils ne s'anéantissent. Leur dire à quel point Dieu s'obstinait à rester indéchiffrable, et que pour des raisons connues de Lui seul, sublimes à n'en pas douter, Il préférait rester sourd, muet, lointain, punissant ses créatures de n'avoir pas su vénérer Son suprême et incompréhensible dessein. Quant au Diable, il n'avait qu'une seule vertu, la patience, car nul besoin de son imagination pour contribuer à la fin du monde, il lui suffisait d'attendre, curieux, comme au spectacle, s'amusant de tant de créativité malfaisante, au point où parfois on pouvait penser que c'était lui, et lui seul, qui avait créé l'homme à son image.

Mais comment ne pas passer pour des fous au milieu des cassandres et des prophètes d'aujourd'hui ? Comment se faire entendre des peuples lassés des exhortations à penser comme il se doit ?

Sur cette Terre qui tournait à l'envers, les amants préféraient relever un autre défi, celui de terminer cette vie qu'on leur avait volée, dans un endroit assez retiré pour y contenir des vérités plus dévastatrices qu'un raz de marée.

En des temps plus austères, ils n'avaient eu nul besoin de réverbère pour trouver leur chemin dans la nuit, de maréchaussée pour se défendre, du denier de l'État pour se nourrir, de médicaments pour se soigner. Après avoir suscité la rage d'un roi fou, surmonté la fièvre du désert, le froid à glacer les sangs, la faim à gémir de douleur, après avoir connu les hordes meurtrières, après s'être échappés d'un asile de fous, d'une geôle, d'une cage, d'un palais princier, après avoir évité le mousquet et le poignard, ils n'attendraient rien de quiconque, et pour peu que le système leur foute la paix, ils foutraient la paix au système.

*

Elle redevint glaneuse dans sa version moderne qui consistait à attendre la fin des marchés pour disputer à d'autres indigents des denrées abîmées. Le braconnier se fit chapardeur, ravalant sa honte, car quelles que fussent les circonstances il n'avait jamais eu à spolier quiconque de son bien. N'ayant ni la force ni l'envie de s'établir dans une époque qu'ils ne respectaient pas, ils imaginèrent bientôt un moyen de subsistance en redevenant les manants de jadis.

À partir de vieux vêtements trouvés çà et là ils se confectionnèrent une tunique, un jupon, des hauts-de-chausses, un calot, des sandales, en tout point semblables à ceux de leur jeunesse. Renouant avec le langage de l'époque, ils créèrent une sorte de duo joué et chanté, mettant en scène des fabliaux qu'eux-mêmes avaient applaudis autrefois. La chanson de la *Vieille ronde* suscita les bravos, celle des *Cent quatre-vingts pucelles* remplit leur sébile.

À Rouen il y a cent quatre-vingts pucelles. Et elles dansèrent dessus un pont de verre. Le verre cassa et l'on tomba par terre. Par ici passa le beau roi d'Angleterre. Les salua toutes hormis la plus belle. Tu ne m'as pas saluée maudit roi d'Angleterre. Je ne te salue pas car tu n'es plus pucelle.

À la gaudriole, qui faisait toujours recette, ils ajoutèrent de petits contes moraux, *Les deux bourgeois et le vilain*, *La vieille qui oint la paume du chevalier*, resserrés dans de courtes versions afin d'être saisies au vol par des passants qui y voyaient leur minute spirituelle – au coucher, c'était cette minute-là qui avait tenu bon. Le Moyen Âge inspirait confiance, au point d'en oublier ses cruautés et ses misères pour n'en retenir que ses vérités séculaires, avant que les hommes ne s'éprennent de leur propre parole. Au bout du compte, ils avaient connu la Renaissance, comme ceux d'aujourd'hui espéraient la leur.

À force de déambuler entre les parvis et les agoras, attifés comme des serfs, ils s'étonnaient d'être reconnus et même attendus, comme eux-mêmes avaient guetté les caravanes de comédiens. Au son du pipeau dans les couloirs du métro, les habitués ralentissaient le pas et s'accordaient une chanson en susurrant des paroles issues d'une mémoire collective. Les troubadours avaient pour habitude de terminer leur récital par une complainte à deux voix, plus pour leur propre plaisir que pour celui d'un public à mille lieues d'en apprécier la sincérité. *À nos noces sont venus*, écrite l'année même de leur exécution, était aujourd'hui reconnue comme un fleuron du répertoire galant. L'homme entonnait : *ay pris dans mes collets une mignarde fille*, la femme poursuivait en canon : *ay cueilli ce matin un tout charmant gamin*, puis ils égrenaient en chœur les épisodes tendres et cruels de leur union jusqu'à sa triste fin : *Puisque de moy n'avez pitié, nous dit le roy, tantost il vous faut trépasser.*

Rude était la concurrence de la mendicité, mais bien impuissante face à leur duo, car le simple miséreux, tête basse et main tendue, ne proposait qu'une mauvaise conscience dont le passant s'était désormais lassé, lui préférant l'instant de rêverie qu'offraient cette femme et cet homme qui autrefois auraient pu être ses ancêtres. On les savait authentiques dans leurs rôles sans pouvoir expliquer pourquoi, on enviait leur pouvoir de retourner *là-bas* le temps d'un conte, comme des voyageurs du temps.

Ils tracèrent un itinéraire des fêtes médiévales pour y donner leur spectacle ou se faire embaucher au service. Au grand rassemblement de Saint-Jean-de-Hilaires, ils se produisirent entre autres trouvères et jongleurs. Durant le Banquet des Ménestrels, dans la salle voûtée d'un donjon, ils servirent une ripaille de volailles anciennes, de légumes oubliés et de vins aromatiques. À la Foire d'Estonville, ils donnèrent aux artisans de précieux conseils sur la fabrication des couteaux à manches de corne, des lampes en argile, de l'encens, des teintures, et des vins de sureau et de coing. Au Tournoi du Bréal, ils s'invitèrent dans une querelle de médiévistes qui dépeignaient avec une belle assurance la vie quotidienne au XIIe siècle comme s'ils en revenaient. À la Nuit du Fabliau de Saint-Sauvat, ils gagnèrent le grand prix.

Ils se rendaient d'un événement à un autre le plus souvent à pied, s'arrêtant çà et là pour jouer leur numéro les jours de marché, sans plus prendre la peine de se changer en route, leur costume de scène étant pour eux, et depuis mille ans, leur habit du quotidien. On les photographiait, on les saluait de loin, on les renseignait volontiers, y compris les gendarmes, loin d'imaginer que ces deux énergumènes, mi-pèlerins mi-paysans, n'avaient aucune identité légale.

*

En descendant la côte vendéenne pour rejoindre les Festoieries de Saint-Luc-du-Grey, ils firent halte pour deux nuits dans un gîte, qu'ils payèrent intégralement en pièces de monnaie, ce qui agaça Anna la tenancière pourtant habituée à voir défiler toutes sortes d'excentriques. Le soir venu elle s'excusa pour sa mauvaise humeur, avouant une migraine particulièrement tenace en cette fin de haute saison. Elle évoqua le tyran qui régnait dans son crâne, cruel, injuste, impossible à renverser. Elle avait essayé, en plus d'une médication lourde qui lui avait ruiné le foie et l'estomac, quantité de thérapies, de l'acupuncture à l'hypnose, avant de s'en remettre à des charlatans assez malins pour faire renaître l'espoir en elle. Comme une faute à expier, elle se résignait à porter cette croix un peu plus lourde d'année en année – sans doute avait-elle commis des actes ignobles dans une vie antérieure pour payer un tel prix. Il ne lui restait plus désormais qu'à se taper la tête contre les murs, et non au sens figuré mais au sens propre, quitte à s'écrouler à terre évanouie et se faire traiter de folle.

Le lendemain, les amants ne passèrent pas la journée ensemble. L'épouse laissa son mari affronter seul les rouleaux de l'Atlantique pendant qu'elle se rendait en ville pour y acheter des herbes séchées qu'en des temps reculés elle aurait cueillies elle-même. Le pilon à la main, elle élabora une poudre et une pommade dont les recettes lui avaient été léguées par une guérisseuse de son village qui la mandatait jadis pour lui collecter ses ingrédients de base. Une cuillerée dans un verre d'eau avant le coucher et, en cas de crise aiguë, l'application sur le front d'une compresse imprégnée d'une pâte à base de graines et de racines.

Anna se réveilla dans un curieux état ; un vide intérieur se remplissait peu à peu de sensations disparates où se mêlaient la lumière du soleil, l'odeur du pain chaud, le besoin d'embrasser les siens, et l'envie d'en découdre avec le jour à venir. Elle eut grand-peine à croire son mari, Gilles, quand il lui affirma que chacun de ses réveils ressemblait à celui-là.

Lui aussi se montrait curieux de ces clients qui s'étonnaient de tout comme débarqués d'une île déserte mais liés à la nature de façon presque magique et intuitive, soucieux des vents, des marées, des saisons, de la flore locale. Leur perception du monde matériel se faisait, comme chez les enfants, par les cinq sens, prompts à goûter, toucher, observer, sentir ou écouter tout ce qui leur paraissait inconnu.

Hôtes et patrons firent connaissance. Après avoir élevé leurs enfants, bâti un gîte, fêté leurs quarante ans de mariage, l'âge de la retraite avait sonné pour Anna et Gilles. Au Québec les attendait une petite maison en bois avec vue sur le fleuve Saint-Laurent. Gilles y était né et il lui tardait maintenant de retrouver sa fratrie, son enfance, ses hivers de cristal. Il invita les deux saltimbanques à venir les visiter là-bas. Ils acceptèrent par pure politesse, loin de se douter que l'occasion s'en présenterait un jour, et plus vite qu'ils ne le croyaient.

*

Aux Festoieries de Saint-Luc-du-Grey, ils firent un triomphe. Invités à jouer leur numéro dans quantité de manifestations, ils se réjouirent d'ajouter de nouvelles étapes à leur tour de France.

Ce matin-là, ils attendaient l'arrêt du car sur la Grand-Place quand soudain la femme lâcha le bras de son mari, troublée à la vue d'une jeune fille mal fagotée, seule sur un banc public, qui se roulait une cigarette, accoudée à son sac à dos.

Jamais on ne l'aurait remarquée si à ses pieds ne se reposait un chien, sans laisse, les yeux clos, la gueule calée contre un trottoir, les pattes jointes comme de petits poings fermés. Un jeune chow-chow écrasé de fatigue, aussi sale que sa maîtresse.

Le mari devina l'émotion de sa femme – y a-t-il retrouvailles plus intenses qu'entre deux inconnus ? Rien dans l'allure de la sauvageonne ne lui était étranger, ni sa façon si naturelle d'agir à ciel ouvert comme sous un toit, ni son souci de veiller sur le sommeil de son chien. Et quel chien.

À côté de lui, un setter, un berger, tous les chiens du monde n'auraient été que des chiens, et aucun n'aurait mérité que l'on s'arrêtât sur sa silhouette endormie. Mais ce chow-chow en rappelait un autre, et même deux, amis perdus, protecteurs jusqu'au sacrifice, graves toujours, avares de leurs émotions pour n'en gaspiller aucune. Elle se revit enveloppée dans une fourrure, glissant sur son traîneau, admirative de ses petits compagnons, capables d'une telle abnégation qu'ils auraient pu racheter à eux deux la condition humaine. Comment ne pas être ému devant cette image, *la jeune fille au chow-chow*, une toile pour laquelle elle-même avait posé jadis, dans un autre décor.

La sauvageonne se déclara *en galère*, forcée de rejoindre Barcelone à pied, où l'attendait son ami qui venait d'y trouver un travail, de quoi vivre à deux quelques mois, ensuite on verrait. À l'approche d'une voiture-pie, tous trois quittèrent le banc public, l'immobilité étant pour le nomade un luxe hors de ses moyens – on connaissait la pénible fin des causeries de coin de bitume. La jeune fille proposa de passer la nuit dans une usine désaffectée, trop vétuste pour y croiser des vigiles. Le mari pressa sa femme de prendre le dernier car mais celle-ci ne put se résoudre à quitter *sa petite sœur*, qui avait besoin à ce point de sa traversée de renouer avec un peu de chaleur humaine, de retrouver l'usage de la parole, de dormir avec la sensation d'être veillée par des parents de passage. Jadis elle-même aurait tout donné pour une seule de ces nuits-là. S'ils partaient maintenant, elle en garderait l'amer sentiment que toute son odyssée passée ne lui avait rien appris.

Avant l'aube, deux gendarmes, lors d'une patrouille visant à déloger les consommateurs et vendeurs d'héroïne, leur demandèrent à tous trois de soulever leurs manches pour montrer la saignée de leurs bras.

*

Au poste, on plaça l'homme dans une cellule occupée par un ivrogne assoupi. Dans celle adjacente, les deux femmes se retrouvèrent en tête à tête, ce qui paradoxalement fit cesser tout dialogue. Grâce à un tatouage dans l'oreille, il fut établi que le chien avait été arraché dix-huit mois plus tôt à un petit garçon dans un beau quartier de Paris durant la promenade du soir. De surcroît, la jeune fille, plusieurs fois arrêtée pour vol à l'étalage et grivèlerie, ne connaissait personne à Barcelone, où elle n'avait jamais eu l'intention de se rendre. Son manque cruel de destination et sa vie de divagation l'avaient endurcie au point de ne plus faire confiance à quiconque, y compris aux autres vagabonds ouverts au partage.

Il avait beau s'attendre à quelque obstacle, le mari supporta très mal son enfermement. Cette geôle-là ne lui en rappelait aucune autre. Toute de béton et d'acier, sans la moindre ouverture vers le dehors, elle provoqua chez lui une angoisse inconnue, celle d'être prisonnier d'un matériau indestructible, plus dur qu'une roche du désert, qu'une dalle de forteresse, qu'une paroi de l'Enfer, et les millénaires auraient beau s'écouler, cet endroit existerait toujours, pas même éraflé, à peine poussiéreux, prouvant à quel point la chair humaine était éphémère. Et ce cube de béton gris scellé dans le sol, sur lequel cuvait un ivrogne aux allures de gisant, prenait valeur de tombeau à l'épreuve de toutes éternités, infernales comme divines.

Sa femme avait posé la paume de sa main sur le mur qui la séparait de son mari, comme jadis, au premier jour de leur procès, et tout lui revint en mémoire : la paille et la pierre, les chaînes, sa codétenue, sorcière sans vocation et sans talent, bien plus innocente que cette *petite sœur*, si peu sincère, rouée au point de voler un chien à un enfant. Sans regretter son coup de cœur pour une malandrine, elle reconnaissait combien son mari avait raison de se tenir à l'écart des destinées humaines pour ne songer qu'à la leur.

Elle fit une tentative, vouée à l'échec, pour amadouer le planton. Elle se souvint avec tendresse de ses camarades fous de l'hôpital de Svilensk, dont la capacité d'élucubration forçait la mansuétude des infirmiers. Lancée dans une diatribe inimaginable pour un esprit rationnel, elle créa de toutes pièces une maladie mentale très rare et très dangereuse si on ne l'entourait pas de précautions, le *syndrome de Janus*, dont étaient victimes les individus vivant en symbiose depuis trop longtemps et qui, séparés de force, sombraient dans une sorte de catatonie entraînant au mieux l'arythmie cardiaque, au pire l'attaque cérébrale – symptômes qui cessaient immédiatement dès que les sujets étaient à nouveau réunis. Afin d'éviter les urgences, les intraveineuses de sédatifs, les IRM, toutes complications dont personne n'avait besoin ici, il suffisait de les placer dans la même cellule, où ils promettaient de se tenir tranquilles – une entorse au règlement bien innocente au regard du risque encouru. Après avoir de bonne foi examiné la situation, et tapé *syndrome de Janus* sur un moteur de recherche, le gendarme s'en tint à la procédure habituelle.

En fin de matinée on relâcha la sauvageonne, qui déguerpit sur la première route venue, sans son petit compagnon à quatre pattes, bien plus doué qu'elle pour attirer l'aumône du passant.

On relâcha l'ivrogne.

On garda le couple. Qui parvenait à échanger quelques mots d'une cellule à l'autre, dans une langue aux tournures bien curieuses, du « vieux français » soupçonna le planton, qui se demandait maintenant si parmi les symptômes de leur maladie imaginaire on comptait aussi la bouffée délirante.

*

Rien dans les fichiers : ni état civil, ni casier judiciaire, ni photo, ni empreintes. Pas la moindre trace de ces deux SDF au profil de clandestins, qui parlaient un français précieux et ampoulé, et qui de surcroît étaient accoutrés comme des paysans d'une autre époque. Impossible néanmoins de les imaginer tout juste échappés d'un hameau perdu ; depuis l'après-guerre les clivages régionaux avaient été gommés, les dialectes supprimés, on avait tiré les idiots congénitaux de leur misère morale, banni les mariages consanguins, alors d'où sortaient ces deux spécimens ?

Durant l'interrogatoire, le capitaine, malgré ses cinquante ans révolus, son bel uniforme et ses galons, son phrasé aux tournures de code civil, son réel souci de justice et son expérience de terrain, passa aux yeux des suspects pour un enfant. Un petit garçon encore préservé par la vie, qui pense tout savoir mais qui a tant à apprendre, un innocent qui croit que le monde se partage entre bons et méchants. Dans une autre vie, ils auraient pu s'entendre avec ce gendarme, pas plus redoutable qu'un soldat du roi, un chef indien, un sorcier africain, mais l'heure était venue de lui fausser compagnie, sans fraterniser, sans rien lui apprendre de la condition humaine ni de son extinction prochaine.

Les deux SDF quittèrent le poste à bord d'une estafette afin d'être transférés dans le bureau d'un juge d'instruction qui procéderait à leur mise en examen et demanderait leur détention provisoire. Il allait devoir réussir là où le capitaine avait échoué en n'obtenant aucune réponse aux questions élémentaires : nom, prénom, âge, lieu de naissance. En ce XXIe siècle où tout faisait trace, où il était désormais impossible de tourner un coin de rue, d'acheter de quoi se nourrir ou d'entrer dans un théâtre sans qu'une machine n'en atteste, comment deux individus avaient-ils pu se rendre invisibles ? Quoi qu'ils aient commis sur la voie publique, rien ne semblait plus urgent que de connaître leur identité, faute de quoi, la preuve serait faite d'une faille dans le système.

À moins qu'on ne tienne là une affaire d'envergure, mettant en scène un homme et une femme jamais déclarés à la naissance, un frère et une sœur tenus secrets par leurs parents pour de sordides raisons, élevés dans une cave, réapparus à l'âge adulte, ce qui expliquerait leur repli sur soi et cette curieuse langue connue d'eux seuls. Le juge d'instruction, impatient de leur arrivée au palais de justice, se réjouissait déjà de bousculer la monotonie des affaires en cours.

Ce transfert en véhicule de police constituait donc, pour les amants, leur unique chance de s'évanouir dans la nature avant de nouvelles complications. La peur de se voir séparés pour de bon et pour longtemps les plongea dans un état d'agressivité parfaitement inattendu pour leurs gardes qui pensaient n'avoir rien à craindre de simples vagabonds, dociles jusque-là, pas même en état de manque. Les malheureux gendarmes, agressés, mordus, griffés, frappés et piétinés par des diables furieux, ne pouvaient imaginer que durant cet interminable déchaînement – qui avait duré moins d'une minute – ils avaient été pris pour des pirates et des Cosaques.

Et de fait, les deux déments ne virent jamais le juge d'instruction, qui en apprenant leur évasion retourna sa colère contre le prévenu assis devant lui, lequel, par comble de malchance, avait tiré le mauvais numéro de dossier.

Deux individus sans existence légale s'étaient signalés au monde ce soir-là, dans la violence et la révolte. Un procès-verbal constituait, à ce jour, leur acte de naissance.

La fenêtre de leur chambre d'hôtel donne sur une petite place arborée, au centre de Montréal. Leurs retrouvailles ont été de courte durée. À peine enlacés ils se sont évanouis de sommeil devant un écran allumé où parfois il est question d'eux. Sur la table basse, leurs ordinateurs et leurs téléphones vibrent, tintent, mènent une vie autonome. Les *#runninglovers*, messages, articles et liens tombent en pluie. La légende des amants s'écrit désormais sans eux et malgré eux.

Dans son blog, un spécialiste de la théorie du complot laisse entendre que les deux Français en cavale seraient au carrefour de plusieurs énigmes dont toutes ne dateraient pas de ce siècle. Habituellement traité de malade mental, il compte désormais trente mille connexions par jour.

Le consulat de France à Chiangmai, en Thaïlande, va publier la première transcription d'un manuscrit de langue française, signé de la main d'une femme, qui raconte un procès ayant eu lieu trois cents ans plus tôt dont elle prétend être l'inculpée. On expertise le document afin d'y déceler des traces ADN exploitables.

Le doctorant de l'université de Durham relance son enquête sur la réécriture des *Mariés malgré eux*. Il vient de mettre la main sur le carnet de bord du capitaine Lewis Knight qui consigne la présence sur son navire d'un Français en partance pour la Chine afin d'y retrouver sa femme.

Un Parisien a posté sur YouTube la vidéo, tournée dans le métro, d'un duo de chanteurs folkloriques devenus célèbres depuis. Il joue du luth, elle du tambourin.

Sur son site, un artiste spécialisé dans la 3D met en relation le médaillon de Giacomo Tadone, tout juste acquis par la Galerie des Offices, et le portrait-robot de ce Français recherché aux États-Unis, pointant là une ressemblance étonnante.

Les autorités se révélant impuissantes à expliquer qui est ce couple surgi hors du temps, l'imagination collective a pris le relais. Les forums virtuels, mille fois plus puissants que ceux d'antan, reconstituent progressivement l'histoire des amants qui toujours renaissent de leurs cendres.

La profusion des témoignages converge vers une même version, folle et démesurée, que nul ne songe à soumettre aux analyses rationnelles.

La rumeur médiatique, impossible à endiguer, atteint des records de popularité. Et ceux qui se passionnent sont des anonymes, des gens de tous les jours, lassés de la crapulerie ordinaire, lassés d'une actualité anxiogène, lassés de l'observation pernicieuse des mœurs du voisin, lassés de l'apologie de la stupidité étalée sur les écrans. Ce public à qui l'on imposait des idoles, cyniques, marchandes et médiocres, a cette fois décidé de s'émouvoir du sort de deux rebelles qu'on dirait dotés de pouvoirs surnaturels.

Mais la vraie raison de cet engouement populaire est d'ordre individuel, intime et presque inavouable, car une rumeur en dit bien plus sur celui qui la colporte que sur celui qu'elle désigne.

Quiconque a été touché par l'affaire des amants s'empresse de la partager avec une personne choisie, ô combien choisie, pudique façon de lui envoyer un message romantique, de lui suggérer l'idée qu'ils auraient pu être ces deux-là, rêve à jamais inassouvi de vivre un conte moral et immoral à la fois, un rappel de ce qu'aurait été l'amour il y a longtemps, avant les inextricables malentendus qu'il suscite aujourd'hui, avant qu'on ne l'épuise de rhétorique, avant que la crainte de l'engagement ne le paralyse, avant qu'on ne le réduise à des statistiques, qu'on ne calcule ses probabilités, qu'on n'optimise ses hasards, qu'on ne pourfende ses idéaux, qu'on ne commente ses limites. Avant que pragmatisme, réalisme, empirisme, rationalisme ne lui fassent front commun, avant que la peur de souffrir ne fasse souffrir, avant qu'on ne lui préfère une solitude garantie tous risques. La force de cet amour-là n'a pas besoin de discours, de sociologie, d'analyses conceptuelles : il s'est rebellé, il a pris le maquis, il a mordu un système entier, griffé un pouvoir en place, piétiné une autorité. Et tant qu'ils sont en cavale, on souhaite aux fugitifs un destin hors du commun, sauvage, et jamais révélé.

*

Il leur reste à parcourir une dernière ligne droite de cinq cents kilomètres. En roulant toute la nuit, ils seront vers les huit heures du matin dans la petite ville de Tadoussac, au bord du Saint-Laurent.

Une fois réveillés, ils commentent à tour de rôle la façon dont s'est déroulé leur passage de frontière. Ils font le même constat : quitter les États-Unis s'est avéré bien moins ardu que d'y entrer.

Après l'agression des gendarmes dans le fourgon de transfert, la préfecture de police avait déployé des moyens inhabituels, avec barrages et battues. Fuir la France les avait contraints à écumer les bas-fonds et affronter des voyous plus ou moins talentueux. Il leur avait fallu distinguer l'aigrefin efficace du petit caïd qui se prenait pour le Diable en personne – un jean-foutre pour ceux qui avaient connu le Diable en personne. Un expert en clandestinité leur avait forgé au prix fort une identité, avant de les confier à un passeur qui leur avait fait traverser l'Atlantique dans un container de cargo. La destination s'était imposée d'elle-même.

Ils avaient lu que la Constitution américaine avait été conçue pour donner sa chance à un anonyme de *devenir quelqu'un.* Le souci de ces deux immigrants-là avait été justement d'inverser la proposition, car là où l'on pouvait *devenir quelqu'un*, on pouvait en toute logique décider de *n'être personne*. Où, sinon au pays de la réussite et des grandes destinées individuelles avait-on le plus de chance de passer inaperçu ?

Et de fait, à Albuquerque, au Nouveau-Mexique, ils n'avaient eu aucun mal à se faire embaucher dans le restaurant « Monsieur Pierre », dont le propriétaire n'employait que des Français pour donner à son établissement un indiscutable cachet. Le couple donnait entière satisfaction, l'un en cuisine, l'autre en salle, omniprésents, infatigables, précieux pour un patron qui n'aimait rien tant que déléguer. Et ils auraient pu se fondre dans le décor, s'y faire oublier pour de bon, si le mari n'avait proposé à sa femme une escapade dans le petit village de La Soltera, en Californie, qu'il brûlait de connaître.

À l'entrée, un panneau prévenait à la fois en anglais et en espagnol :

WOMAN, WHOEVER YOU ARE,
WHATEVER YOU DID, BE WELCOME HERE

MUJER, QUIENQUIERA QUE SEAS,
LO QUE HAYAS HECHO, BIENVENIDA

Femme, qui que tu sois, quoi que tu aies fait, tu es la bienvenue.

L'avenue principale aboutissait à une grande place carrée, dont les bancs, les fontaines, les platanes et les parterres de gazon accueillaient les touristes et les habitants venus s'y rafraîchir. Sur une dalle en pierre trônait une sculpture grandeur nature du fondateur de La Soltera. Le cuivre avait viré au vert, par endroits au doré. Le visage, sculpté à partir du seul portrait connu du personnage, avait perdu ses contours. Pourtant le Français reconnut son ami Alvaro Santander avec lequel il avait jadis partagé une cage au fond d'une jungle.

Ému aux larmes, il retraça les grandes lignes de ses mésaventures avec ce drôle de compagnon qu'il définit à sa femme comme « hirsute, polyglotte, déserteur et féministe par dépit amoureux ».

Au pied de la statue on pouvait lire les origines de la ville, fondée en 1728 au milieu du désert par un aventurier d'origine castillane, dont on savait peu de choses sinon qu'il avait déserté l'armée espagnole pour chercher fortune dans l'Ouest américain. Il avait construit là une maison d'accueil laïque réservée exclusivement aux femmes, où pauvresses, pécheresses, veuves et répudiées avaient leur place, mais aussi des célibataires et des vieilles filles – d'où le nom de La Soltera –, le plus souvent abusées ou jugées trop ingrates. De fait, la réputation d'un asile si singulier avait couru dans cette nation naissante, et trente ans après sa création, plus de cent femmes s'y étaient établies, construisant elles-mêmes des dépendances, édictant leurs règles internes, gérant les finances, ouvrant un atelier de manufacture puis des boutiques alentour. L'hacienda d'origine, bâtie de ses mains par Alvaro et quelques pionniers, s'était rapidement transformée en un petit pueblo autonome, un phalanstère de femmes, vaillantes, déterminées, qui avaient eu la chance de choisir leur voie sans en référer à un mari, un père ou un patron, à une époque où toute femme se voyait condamnée à la violence d'au moins l'un d'eux, parfois des trois. Au fil du temps, La Soltera était devenue un bastion, un symbole de la lutte pour les droits des femmes, leur ouvrant les portes du Sénat et du Parlement.

Ils assistèrent à la visite guidée du fameux centre d'accueil, devenu un musée en 1956. On y avait conservé la manufacture, le patio, le réfectoire de l'époque, et recréé à l'identique le premier dortoir. Le guide, fier de déclarer qu'il était un descendant direct du fondateur, montra un arbre généalogique qui couvrait huit générations de la famille Santander, devenue Stanton à la fin du XIXe siècle ; une gigantesque tribu disséminée dans tout le pays, qui se réunissait une fois l'an à La Soltera pour célébrer leur aïeul – une fête honorée par la présence du gouverneur de Californie.

Au premier étage du bâtiment, il entraîna ses visiteurs sur des coursives extérieures menant à des tourelles qui dominaient le village – sûr de son effet, il en souriait d'avance. Les résidentes, munies de fusils, y prenaient le quart jour et nuit pour décourager les humeurs paillardes des desperados persuadés de trouver là une maison de rendez-vous. Il ajouta cependant que l'homme n'était pas exclu de cet univers, au contraire, y étaient accueillis des célibataires, paysans, propriétaires, pionniers, moins préoccupés de conquérir l'Ouest que de fonder une famille. Clou de la visite, il les entraîna dans un coin du patio où un petit kiosque entouré d'une haie était dédié à la conversation des premières rencontres, lorsqu'un candidat, le chapeau à la main, présentait ses intentions. *L'ancêtre du speed dating*, conclut Philip Stanton, comme un bon mot mille fois servi mais toujours apprécié. Il les encouragea à entrer dans la boutique de souvenirs, babioles, cartes postales, où trônait le petit livret biographique consacré à Alvaro Santander, 12 $, qu'aucun acheteur ne lisait jamais mais qui fournissait un alibi à la visite. Puis il répondit à une dernière question, posée par une touriste devant l'entrée principale de la propriété, dont l'immense porte à double battant était ornée d'un blason en fer forgé qui donnait son nom à toute l'institution : *Doña Leonor*. Qui était donc cette Leonor pour que son nom devienne l'emblème d'un domaine où, pour la première fois sur le continent américain, on s'était inquiété de la cause des femmes ?

Malgré une routine qu'on sentait usée par deux visites quotidiennes, le jeune Philip se fit un peu lyrique – comment évoquer la mère de sa propre dynastie sans une vive émotion ? Alvaro Santander, fou d'amour pour sa femme et mère de ses enfants, rencontrée dès son arrivée dans la région, avait donné son nom à sa maison d'accueil pour femmes seules. Car sans rien enlever à son glorieux ancêtre, c'était sans doute elle qui avait suggéré à son mari d'ouvrir ce centre. Qui sinon une femme pouvait en être l'inspiratrice ?

À la porte du bâtiment, sur les coups de quatre heures de l'après-midi, le groupe d'une trentaine de visiteurs, prêts à se disperser, prenait les dernières photos de Philip Stanton, posant avec quiconque le lui demandait, épouses et bambins, devant l'entrée d'un musée dont il était à la fois la mémoire et le gérant. L'enfant lointain de cette belle histoire avait tant besoin de la transmettre.

Or parmi les touristes, un seul traînait le pas. Quelque chose en lui refusait de s'éloigner de cette porte au blason en fer forgé.

Doña Leonor.

La seule ombre à une photo de famille qui, si elle avait été prise, aurait réuni un millier de Santander et de Stanton, morts et vivants, avec en son centre – si l'on en croyait la version officielle –

le couple fondateur. Alvaro et Leonor, soudés par un amour si fort qu'ils avaient voulu le partager, le convertir en bienfaisance, afin de porter secours aux femmes rejetées en cette ère de sauvagerie.

Et pourtant la vérité était tout autre. Et pas de celles qui rassurent une descendance.

La dépouille de la vraie Doña Leonor reposait quelque part en Castille, oubliée de tous, du fait d'un certain Alvaro.

C'était elle, *La Soltera*, dont le surnom aujourd'hui résonnait non plus comme la *célibataire* mais comme l'*unique*. Comment ne pas s'attrister de la voir oubliée une seconde fois ? Comment ne pas rendre hommage à son sacrifice ? Le seul qui pouvait en témoigner aujourd'hui se souvenait d'un Alvaro meurtri de honte en évoquant les raisons de son enrôlement précipité, lui, le moins héroïque de tous les soldats, aussi lâche en amour qu'à la guerre. Mais son besoin de rédemption l'avait rendu généreux et inventif, car c'était bien le fantôme de cette Leonor qui lui avait donné la force d'accomplir son œuvre solennelle. C'était le visage de cette jeune fille séduite et abandonnée qui le hantait pendant qu'il posait la première pierre de son édifice. Le centre Doña Leonor de La Soltera était le fruit non de l'amour mais du remords, et l'histoire n'en était pas moins belle, celle d'un homme venu réparer, si loin de chez lui, une injustice commise dans une vie passée. Et l'on pouvait aussi avoir une pensée pour sa femme, rencontrée ici, qui avait compris et admis les raisons de son mari de dédier sa maison à une autre, impossible à oublier. À force d'abnégation, elle avait aidé son homme à bâtir ce centre sur les cendres d'une idylle perdue qui habitait encore son cœur. Philip Stanton aurait pu être fier de cette preuve d'amour de sa chère aïeule.

Le visiteur français ne se résolvait pas à partir malgré les supplications de sa femme : au nom de quelle vérité avait-on le droit de bouleverser la morale d'une histoire qui avait montré la voie à une civilisation entière ? À quoi bon remuer un passé qui, pour une fois, avait laissé un bel héritage et inspiré tant de bonne volonté ? Invoquer l'esprit de cette malheureuse allait-il lui rendre justice outre-tombe ? Qu'on la laisse reposer en paix, ajouta-t-elle, son nom lui avait survécu, on l'avait gravé sur une porte et dans des milliers de livres, il faisait partie de ces légendes qui avaient rendu les hommes meilleurs, y avait-il plus bel hommage posthume ? Qui se souciait de la vérité quand la vérité pouvait blesser des innocents et contrarier le bon sens avéré ?

Le mari lâcha pourtant la main de sa femme et retourna vers leur guide. *Jeune homme, quel que fût le nom de votre vénérable aïeule, Leonor était celui d'une autre, née et morte loin d'ici.*

Philip Stanton écouta sans l'interrompre cette toute nouvelle version de la légende familiale qu'il racontait deux fois par jour à des touristes disciplinés et admiratifs, dont aucun jusqu'alors ne s'était piqué de vérité historique. Alvaro Santander, bourreau des cœurs, aventurier sans scrupule, soudain frappé par le repentir ? Rongé par un spectre resté au pays natal ? Arrière-arrière-arrière-arrière-grand-papa démasqué ? Un mensonge jusque dans les livres de classe ? Opprobre sur toute une dynastie ? Philip se souviendrait longtemps de ce touriste français, déficient mental, qui, quand on lui demandait de citer ses sources, restait bien évasif.

S'il n'avait été question que de vérité, l'incident n'aurait eu aucune conséquence. Dans une époque où pour exister il fallait créer la controverse, chacun avait un complot à dénoncer, fût-il dérisoire et sans suite.

Mais dans le cas présent, il était surtout question d'honneur.

L'occasion était donnée à un Stanton de redevenir un Santander. À la joute verbale succédèrent les coups. Tout le personnel de l'établissement se porta au secours du patron vite débordé par une violence d'une autre ère, abrupte et sans grâce, exempte de simagrées viriles mais mue par une force de survie impossible à maîtriser à main nue. Aussi un gardien sortit un revolver qui se trouvait là plus pour évoquer le folklore de l'Ouest que pour un usage réel. C'est là que la compagne du Français fut prise de folie elle aussi – quoi de plus légitime en ce lieu où des milliers de femmes s'étaient défendues de la vilenie masculine ? Et à la manière dont elle mordait et griffait ses attaquants, elle avait retenu la leçon.

Doña Leonor, la *soltera*, devait se réjouir outre-tombe que l'on se batte pour elle.

*

Quatre jours plus tard, en Espagne, un docteur en histoire mettait fin à ce qu'on appelait désormais « la controverse de la Soltera » grâce à deux documents irréfutables. En date du 3 avril 1738, dans les registres du couvent de Las Dueñas de Salamanque, on avait pris acte du décès d'une Leonor Montoya ayant résidé dans une dépendance du couvent les trois dernières années de sa vie. Au soir de sa mort, elle avait laissé une longue lettre-confession où par deux fois était mentionné le nom du soldat Alvaro Santander.

Terrés dans un motel de Bakersfield, à quatre-vingts kilomètres de La Soltera, les deux Français recherchés par la police fédérale se fichaient bien que l'Histoire leur donnât raison. Épuisés par mille ans d'errance, il leur fallait à tout prix trouver ce lieu où se réveiller chaque matin sans avoir la tentation de fuir. Abandonner toute vigilance, là était le véritable apaisement. Pour exceller dans l'art délicat de survivre ils avaient développé un sens de l'anticipation qui les avait rendus méfiants et irascibles.

Ils envoyèrent alors à Anna et Gilles, désormais installés au Québec, un signal de détresse.

Pour toute réponse ils reçurent la photo d'une maison verte au toit rouge.

À huit heures du matin, Mr et Mrs Green garent leur voiture près d'un ponton au bord du Saint-Laurent. Pendant qu'elle s'y arrête un instant, espérant comme tout étranger apercevoir une baleine, et pourquoi pas l'entendre, lui remonte déjà la pente en rondins qui mène à une cabane entourée d'une palissade vermoulue.

Il s'agit plutôt d'une masure au toit en pointe, dont les ardoises d'un rouge délavé manquent çà et là, tout comme les lattes de bois des cloisons, jadis peintes en vert. Rien qui ne puisse se réparer en quelques semaines. Plus il la regarde et plus il se remémore la cahute de son village d'antan, bâtie de ses mains, où sa femme et lui auraient dû passer l'essentiel de leur vie, puis mourir. Derrière la palissade, trois marches donnent accès à un petit porche. Sous l'une d'elles il trouve la clé laissée par Anna et Gilles, qui habitent à deux pas.

Avant de franchir le seuil, il aimerait partager avec sa femme un instant immobile. Il veut savoir si elle éprouve cette même sensation d'avoir atteint le bout de la route et qu'on ne peut aller plus loin que cette maison-là.

Elle en fait le tour, tentée de jeter un œil à l'intérieur par les vitres opaques de crasse. Elle aimerait dire quelque chose de définitif sur cet objectif atteint mais se contente de signaler une légère odeur de moisi qui disparaîtra au premier feu de cheminée. Ils sont d'accord sur un point, cette maison une fois rafraîchie doit retrouver sa couleur verte d'origine – celle qu'ils ont imaginée durant toute leur équipée –, qui brillera au loin comme une émeraude.

D'un geste de la main, elle demande à son mari de se taire afin d'identifier pour la première fois le bruit du dehors, ce silence qui sera le leur désormais, où seul s'insinue le vent qui file sur le Saint-Laurent.

Ils finissent par l'entendre, ce silence du dehors.

Quoique brouillé par un bourdonnement lointain, encore sourd mais qui lentement s'affirme.

À peine le temps de s'interroger du regard et le bruit leur déchire les tympans. Une bourrasque vient lisser la nature environnante, les haies s'affaissent, la palissade bat un instant l'air et s'envole.

Apparaît un hélicoptère dont les pales chassent les dernières tuiles rouges qui tenaient encore.

Cernés par le hurlement des sirènes, les amants n'ont plus le droit de se faire prendre. Ils savent le sort qu'on leur réserve. Après un interminable interrogatoire, on finira par leur poser la seule question à laquelle ils ne pourront répondre : de quoi est fait le lien qui les unit ? Ce matériau indestructible, à l'épreuve des siècles, a-t-il disparu de la surface du globe ? Où peut-on encore en extraire une once ?

On les accusera d'avoir accaparé des stocks entiers de sentiments humains, d'avoir laissé la pénurie s'installer au fil du temps, on les rendra responsables de toutes les plaies ouvertes de la Terre, on fera d'eux les boucs émissaires dont avaient tant besoin les civilisations pour expliquer leur échec, on exigera d'eux qu'ils empêchent l'Apocalypse de se produire. Et devant leur impuissance, comme jadis à la cour de France, on les exécutera comme on le fait depuis toujours avec les porteurs de mauvaises nouvelles.

Un haut-parleur les somme de se rendre. Ils courent vers leur voiture. Dix autres les prennent en chasse. L'une d'elles les percute par l'arrière, une autre arrive de plein fouet, la leur dérape, vole dans les airs, défonce un parapet et s'abîme dans le fleuve.

Juste avant que le courant ne les engloutisse entièrement, les amants se donnent rendez-vous. Ni l'un ni l'autre ne sait où.

Ils ont tant fait pour qu'on les oublie.

Ils vont être exaucés.

Cette fois, personne ne voulut d'eux sur la Terre comme au Ciel. Aucun empire dans tout l'univers n'était assez fou pour faire une place aux amants irréductibles. Afin de les voir disparaître à jamais, ils furent expédiés dans un monde dont on ne savait presque rien, immatériel et intemporel, qui terrorisait à la fois les partisans du bien et les artisans du mal.

Un monde que personne n'avait conçu, que personne n'aurait même imaginé, non pas issu d'une volonté, mais du contraire.

C'était le renoncement qui, voulant fonder son État, avait trouvé ce territoire reculé, inaccessible à toute forme de désir. Indifférent au rayonnement comme au chaos, le renoncement se savait bien plus puissant que dieux et diables réunis, trop occupés de leurs desseins démesurés, quand lui possédait une suprême capacité d'indifférence et cherchait l'inertie en toute chose. Devant un ennemi si puissant on pouvait enfin mesurer combien le mal et le bien avaient de points communs, combien ils étaient passionnés, capables de lutter main dans la main devant cette infinité froide, assez forte pour les absorber tous deux. Dieux et diables en arrivaient à se poser la question qu'ils redoutaient le plus : existaient-ils bel et bien, ou avaient-ils été créés par les hommes afin de lutter contre la terreur de voir toutes choses se terminer à jamais ?

On échouait dans ce monde-là en toute fin, après l'après, quand toutes les suites étaient épuisées, quand l'homme s'était enfin résigné à disparaître pour de bon, sans espoir de retour, sans qu'un papillon ou un crapaud daigne lui laisser son enveloppe charnelle, car plus rien n'existerait après lui, même ses cendres disparaîtraient, et il disparaîtrait aussi des mémoires de ses descendants qui jamais ne pourraient se douter qu'il a existé.

Si les hommes redoutaient tant ce royaume de l'absence, c'était parce que de leur vivant déjà ils le portaient en eux. Capables d'aimer ou de détester, leur plus grande inclination consistait à oublier, à afficher leur infini détachement, leur manque absolu de curiosité, là était la préfiguration de leur sort après la mort et non les béatitudes et les châtiments qu'on leur laissait entrevoir.

Les amants se retrouvaient dans cette bouche de néant, ni meurtris ni apaisés mais vidés de leur âme, pas même agités par le besoin de se chercher l'un l'autre. Pour la première fois, ils ne vibraient plus de la force d'attraction qui leur avait permis de tout surmonter, ils découvraient un état de désolation impensable, celui de ne plus désirer, de ne plus chérir, de ne plus espérer, de ne plus craindre la perte de quiconque, de ne plus redouter qu'il souffre puisque même la souffrance y était abolie.

Ah, s'ils avaient connu l'existence d'un tel lieu, ils auraient encore plus aimé, encore plus chéri, ils auraient supplié leurs semblables d'oublier toute économie, toute frilosité, toute méfiance. Ils apprirent là, et trop tard, que si le Paradis récompensait les prodigues et les bienveillants, si l'Enfer punissait les corrompus et les cyniques, il existait un autre territoire qui happait ceux qui avaient craint de vivre et de s'exposer, préférant l'évitement à la confrontation, la prudence à la tentation, la démission à l'engagement.

Un comble pour les amants, qui s'étaient consumés de passion, qui avaient refusé de guérir l'un de l'autre, et qui malgré leur acharnement à vouloir s'exclure du monde avaient appris à tant d'humains à ne pas étouffer leur désir sous l'amas des convenances. Ces deux-là ne méritaient pas de se retrouver dans ce royaume d'abandon, pareil aux limbes des âmes non nées.

Mille morts auraient été préférables à cette fin-là, sans morale, dépourvue de sens, comme si tout le chemin parcouru l'avait été en vain, et plus rien ne mettrait un terme à ce terme-là, car le temps avait beau se prémunir d'éternité, l'éternité semblait soudain aussi limitée que l'imagination humaine.

Déjà les battements de leur cœur s'espaçaient au point de les compter distinctement.

L'heure était venue de se dire adieu, de lâcher prise, de se dissoudre et d'accepter que rien après eux n'évoque leur existence, que leurs frasques n'inspirent plus la légende, que cette aventure humaine n'a été qu'un songe.

Mais avant que le tout dernier battement ne fût passé, ils allaient s'accorder un dernier souvenir.

Un seul.

Aussi fallait-il faire vite car leur mémoire s'écroulait maintenant par pans entiers.

Les mauvais s'étaient effacés les premiers, ne restaient que les plus harmonieux, les plus justes.

Un enfant sauvage à la peau ambrée tend une écuelle d'eau… Une ouvrière partage sa couverture lors d'une nuit glacée… Une Indienne cache sa détresse derrière un lumineux sourire… Un bourreau, la hache à la main, glisse à l'oreille des condamnés : *Vous ne sentirez rien*… Un moine se réjouit d'inculquer un savoir à des êtres frustes… Un maître donne à une inconnue ses deux chiens car sans eux elle ne survivra pas… Un anonyme offre le pain de la réconciliation… Un fou préfère la liberté à la sagesse… Un vieux couple a tout oublié sauf l'essentiel… Un mourant souhaite longue vie à une voyageuse… Un artiste recrée un visage sans l'avoir jamais vu… Dans la tourmente un matelot chante pour conjurer sa peur… Un tyran se repent d'avoir oublié son peuple… Un prisonnier fait de son codétenu un frère… Au théâtre, des spectateurs montrent autant de talent que l'auteur… Une mère est éperdue de reconnaissance pour qui a rallumé le regard de son fils…

Mais à peine évoqués ces souvenirs se délitaient aussi. Bientôt ne resta que le plus radieux.

Le premier regard échangé ce matin-là, au coin d'un bois.

Celui-là s'accrochait tant et si bien qu'il entraîna un nouveau battement, imprévu, insolent.

Car comment évoquer cet instant-là sans espérer le suivant, et tous les autres à venir.

Soudain, au milieu de rien, avant que l'oubli ne les aspire tout à fait, les cœurs des amants s'emballèrent à nouveau.

Le Néant, surpris par ce contrepoint inattendu, mais obstiné, craignit de perdre du terrain.

Et il les renvoya d'où ils venaient.

Sur une planète vide et morte, dont on disait qu'elle avait été le centre de l'univers, ils s'installèrent là où jadis brûlait le noyau qui la faisait tourner sur elle-même et autour du Soleil. Rien ni personne ne viendrait les y débusquer.

Or, à peine enlacés, ils sentirent sous eux un mouvement de rotation qui leur fit craindre que leur histoire ne s'arrête pas là.

DU MÊME AUTEUR

Aux Éditions Gallimard

LA MALDONNE DES SLEEPINGS, 1989 (Folio Policier n° 3).

TROIS CARRÉS ROUGES SUR FOND NOIR, 1990 (Folio Policier n° 49).

LA COMMEDIA DES RATÉS, 1991 (Folio Policier n° 12; Écoutez lire).

SAGA, 1997 (Folio n° 3179). Grand Prix des lectrices de *Elle* 1998.

TOUT À L'EGO, 1999 (Folio n° 3469).

UN CONTRAT. Un western psychanalytique en deux actes et un épilogue, 1999. *Nouvelle édition en 2011.*

QUELQU'UN D'AUTRE, 2002 (Folio n° 3874). Grand Prix RTL-*Lire* 2002.

MALAVITA, 2004 (Folio n° 4283).

LE SERRURIER VOLANT. *Illustrations de Jacques Tardi*, 2006 (Folio n° 4748).

MALAVITA ENCORE, 2008 (Folio n° 4965).

SAGA. Pièce en sept tableaux, 2009.

HOMO ERECTUS, 2011 (Folio n° 5475).

NOS GLOIRES SECRÈTES, 2013 (Folio n° 5845). Grand Prix SGDL de la nouvelle 2014, prix de la Nouvelle de l'Académie française, 2014.

ROMANESQUE, 2016 (Folio n° 6427).

Dans la collection Folio 2 €

LA BOÎTE NOIRE ET AUTRES NOUVELLES. *Nouvelles extraites de* Tout à l'ego, n° 3619, 2002.

L'ABOYEUR *précédé de* L'ORIGINE DES FONDS. *Nouvelles extraites du recueil* Nos gloires secrètes, n° 6085, 2016.

Dans la collection Folio Policier

QUATRE ROMANS NOIRS. La maldonne des sleepings – Les morsures de l'aube – Trois carrés rouges sur fond noir – La commedia des ratés, n° 340, 2004.

Aux Éditions Rivages

LES MORSURES DE L'AUBE, 1992 (Rivages/Noir n° 143).

LA MACHINE À BROYER LES PETITES FILLES, 1993 (Rivages/Noir n° 169).

Chez d'autres éditeurs

L'OUTREMANGEUR. *Illustrations de Jacques Ferrandez*, Éditions Casterman, 1998.

DIEU N'A PAS RÉPONSE À TOUT, tomes I et II. *Illustrations de Nicolas Barral*, Éditions Dargaud, 2007 et 2008. Prix Albert Uderzo du meilleur album.

LES AMOURS INSOLENTES. 17 variations sur le couple. *Illustrations de Jacques Loustal*, Éditions Casterman, 2010.

LE GRAND PALAIS, CATALOGUE DÉRAISONNÉ. *Photographies de Raphaëlle Galliarde*, Réunion des Musées nationaux, 2010.

LUCKY LUKE CONTRE PINKERTON. *Avec Daniel Pennac, illustrations d'Achdé,* Lucky Comics, 2010.

DES SALOPES ET DES ANGES. *Illustrations de Florence Cestac*, Éditions Dargaud, 2011.

COLLECTION FOLIO

Dernières parutions

6091. Voltaire	*Le taureau blanc*
6092. Charles Baudelaire	*Fusées – Mon cœur mis à nu*
6093. Régis Debray – Didier Lescri	*La laïcité au quotidien. Guide pratique*
6094. Salim Bachi	*Le consul* (à paraître)
6095. Julian Barnes	*Par la fenêtre*
6096. Sophie Chauveau	*Manet, le secret*
6097. Frédéric Ciriez	*Mélo*
6098. Philippe Djian	*Chéri-Chéri*
6099. Marc Dugain	*Quinquennat*
6100. Cédric Gras	*L'hiver aux trousses. Voyage en Russie d'Extrême-Orient*
6101. Célia Houdart	*Gil*
6102. Paulo Lins	*Depuis que la samba est samba*
6103. Francesca Melandri	*Plus haut que la mer*
6104. Claire Messud	*La Femme d'En Haut*
6105. Sylvain Tesson	*Berezina*
6106. Walter Scott	*Ivanhoé*
6107. Épictète	*De l'attitude à prendre envers les tyrans*
6108. Jean de La Bruyère	*De l'homme*
6109. Lie-tseu	*Sur le destin*
6110. Sénèque	*De la constance du sage*
6111. Mary Wollstonecraft	*Défense des droits des femmes*
6112. Chimamanda Ngozi Adichie	*Americanah*
6113. Chimamanda Ngozi Adichie	*L'hibiscus pourpre*
6114. Alessandro Baricco	*Trois fois dès l'aube*
6115. Jérôme Garcin	*Le voyant*

6116. Charles Haquet – Bernard Lalanne	*Procès du grille-pain et autres objets qui nous tapent sur les nerfs*
6117. Marie-Laure Hubert Nasser	*La carapace de la tortue*
6118. Kazuo Ishiguro	*Le géant enfoui*
6119. Jacques Lusseyran	*Et la lumière fut*
6120. Jacques Lusseyran	*Le monde commence aujourd'hui*
6121. Gilles Martin-Chauffier	*La femme qui dit non*
6122. Charles Pépin	*La joie*
6123. Jean Rolin	*Les événements*
6124. Patti Smith	*Glaneurs de rêves*
6125. Jules Michelet	*La Sorcière*
6126. Thérèse d'Avila	*Le Château intérieur*
6127. Nathalie Azoulai	*Les manifestations*
6128. Rick Bass	*Toute la terre qui nous possède*
6129. William Fiennes	*Les oies des neiges*
6130. Dan O'Brien	*Wild Idea*
6131. François Suchel	*Sous les ailes de l'hippocampe. Canton-Paris à vélo*
6132. Christelle Dabos	*Les fiancés de l'hiver. La Passe-miroir, Livre 1*
6133. Annie Ernaux	*Regarde les lumières mon amour*
6134. Isabelle Autissier – Erik Orsenna	*Passer par le Nord. La nouvelle route maritime*
6135. David Foenkinos	*Charlotte*
6136. Yasmina Reza	*Une désolation*
6137. Yasmina Reza	*Le dieu du carnage*
6138. Yasmina Reza	*Nulle part*
6139. Larry Tremblay	*L'orangeraie*
6140. Honoré de Balzac	*Eugénie Grandet*
6141. Dôgen	*La Voie du zen. Corps et esprit*
6142. Confucius	*Les Entretiens*

6143. Omar Khayyâm — *Vivre te soit bonheur ! Cent un quatrains de libre pensée*
6144. Marc Aurèle — *Pensées. Livres VII-XII*
6145. Blaise Pascal — *L'homme est un roseau pensant. Pensées (liasses I-XV)*
6146. Emmanuelle Bayamack-Tam — *Je viens*
6147. Alma Brami — *J'aurais dû apporter des fleurs*
6148. William Burroughs — *Junky* (à paraître)
6149. Marcel Conche — *Épicure en Corrèze*
6150. Hubert Haddad — *Théorie de la vilaine petite fille*
6151. Paula Jacques — *Au moins il ne pleut pas*
6152. László Krasznahorkai — *La mélancolie de la résistance*
6153. Étienne de Montety — *La route du salut*
6154. Christopher Moore — *Sacré Bleu*
6155. Pierre Péju — *Enfance obscure*
6156. Grégoire Polet — *Barcelona !*
6157. Herman Raucher — *Un été 42*
6158. Zeruya Shalev — *Ce qui reste de nos vies*
6159. Collectif — *Les mots pour le dire. Jeux littéraires*
6160. Théophile Gautier — *La Mille et Deuxième Nuit*
6161. Roald Dahl — *À moi la vengeance S.A.R.L.*
6162. Scholastique Mukasonga — *La vache du roi Musinga*
6163. Mark Twain — *À quoi rêvent les garçons*
6164. Anonyme — *Les Quinze Joies du mariage*
6165. Elena Ferrante — *Les jours de mon abandon*
6166. Nathacha Appanah — *En attendant demain*
6167. Antoine Bello — *Les producteurs*
6168. Szilárd Borbély — *La miséricorde des cœurs*
6169. Emmanuel Carrère — *Le Royaume*
6170. François-Henri Désérable — *Évariste*
6171. Benoît Duteurtre — *L'ordinateur du paradis*
6172. Hans Fallada — *Du bonheur d'être morphinomane*

6173. Frederika Amalia Finkelstein — *L'oubli*
6174. Fabrice Humbert — *Éden Utopie*
6175. Ludmila Oulitskaïa — *Le chapiteau vert*
6176. Alexandre Postel — *L'ascendant*
6177. Sylvain Prudhomme — *Les grands*
6178. Oscar Wilde — *Le Pêcheur et son Âme*
6179. Nathacha Appanah — *Petit éloge des fantômes*
6180. Arthur Conan Doyle — *La maison vide* précédé du *Dernier problème*
6181. Sylvain Tesson — *Le téléphérique*
6182. Léon Tolstoï — *Le cheval* suivi d'*Albert*
6183. Voisenon — *Le sultan Misapouf et la princesse Grisemine*
6184. Stefan Zweig — *Était-ce lui ?* précédé d'*Un homme qu'on n'oublie pas*
6185. Bertrand Belin — *Requin*
6186. Eleanor Catton — *Les Luminaires*
6187. Alain Finkielkraut — *La seule exactitude*
6188. Timothée de Fombelle — *Vango, I. Entre ciel et terre*
6189. Iegor Gran — *La revanche de Kevin*
6190. Angela Huth — *Mentir n'est pas trahir*
6191. Gilles Leroy — *Le monde selon Billy Boy*
6192. Kenzaburô Ôé — *Une affaire personnelle*
6193. Kenzaburô Ôé — *M/T et l'histoire des merveilles de la forêt*
6194. Arto Paasilinna — *Moi, Surunen, libérateur des peuples opprimés*
6195. Jean-Christophe Rufin — *Check-point*
6196. Jocelyne Saucier — *Les héritiers de la mine*
6197. Jack London — *Martin Eden*
6198. Alain — *Du bonheur et de l'ennui*
6199. Anonyme — *Le chemin de la vie et de la mort*
6200. Cioran — *Ébauches de vertige*
6201. Épictète — *De la liberté*
6202. Gandhi — *En guise d'autobiographie*
6203. Ugo Bienvenu — *Sukkwan Island*

6204. Moynot – Némirovski *Suite française*
6205. Honoré de Balzac *La Femme de trente ans*
6206. Charles Dickens *Histoires de fantômes*
6207. Erri De Luca *La parole contraire*
6208. Hans Magnus Enzensberger *Essai sur les hommes de la terreur*
6209. Alain Badiou – Marcel Gauchet *Que faire ?*
6210. Collectif *Paris sera toujours une fête*
6211. André Malraux *Malraux face aux jeunes*
6212. Saul Bellow *Les aventures d'Augie March*
6213. Régis Debray *Un candide à sa fenêtre. Dégagements II*
6214. Jean-Michel Delacomptée *La grandeur. Saint-Simon*
6215. Sébastien de Courtois *Sur les fleuves de Babylone, nous pleurions. Le crépuscule des chrétiens d'Orient*
6216. Alexandre Duval-Stalla *André Malraux - Charles de Gaulle : une histoire, deux légendes*
6217. David Foenkinos *Charlotte,* avec des gouaches de Charlotte Salomon
6218. Yannick Haenel *Je cherche l'Italie*
6219. André Malraux *Lettres choisies 1920-1976*
6220. François Morel *Meuh !*
6221. Anne Wiazemsky *Un an après*
6222. Israël Joshua Singer *De fer et d'acier*
6223. François Garde *La baleine dans tous ses états*
6224. Tahar Ben Jelloun *Giacometti, la rue d'un seul*
6225. Augusto Cruz *Londres après minuit*
6226. Philippe Le Guillou *Les années insulaires*
6227. Bilal Tanweer *Le monde n'a pas de fin*
6228. Madame de Sévigné *Lettres choisies*
6229. Anne Berest *Recherche femme parfaite*
6230. Christophe Boltanski *La cache*

6231.	Teresa Cremisi	*La Triomphante*
6232.	Elena Ferrante	*Le nouveau nom. L'amie prodigieuse, II*
6233.	Carole Fives	*C'est dimanche et je n'y suis pour rien*
6234.	Shilpi Somaya Gowda	*Un fils en or*
6235.	Joseph Kessel	*Le coup de grâce*
6236.	Javier Marías	*Comme les amours*
6237.	Javier Marías	*Dans le dos noir du temps*
6238.	Hisham Matar	*Anatomie d'une disparition*
6239.	Yasmina Reza	*Hammerklavier*
6240.	Yasmina Reza	*« Art »*
6241.	Anton Tchékhov	*Les méfaits du tabac* et autres pièces en un acte
6242.	Marcel Proust	*Journées de lecture*
6243.	Franz Kafka	*Le Verdict – À la colonie pénitentiaire*
6244.	Virginia Woolf	*Nuit et jour*
6245.	Joseph Conrad	*L'associé*
6246.	Jules Barbey d'Aurevilly	*La Vengeance d'une femme* précédé du *Dessous de cartes d'une partie de whist*
6247.	Victor Hugo	*Le Dernier Jour d'un Condamné*
6248.	Victor Hugo	*Claude Gueux*
6249.	Victor Hugo	*Bug-Jargal*
6250.	Victor Hugo	*Mangeront-ils ?*
6251.	Victor Hugo	*Les Misérables. Une anthologie*
6252.	Victor Hugo	*Notre-Dame de Paris. Une anthologie*
6253.	Éric Metzger	*La nuit des trente*
6254.	Nathalie Azoulai	*Titus n'aimait pas Bérénice*
6255.	Pierre Bergounioux	*Catherine*
6256.	Pierre Bergounioux	*La bête faramineuse*
6257.	Italo Calvino	*Marcovaldo*
6258.	Arnaud Cathrine	*Pas exactement l'amour*
6259.	Thomas Clerc	*Intérieur*
6260.	Didier Daeninckx	*Caché dans la maison des fous*

6261.	Stefan Hertmans	*Guerre et Térébenthine*
6262.	Alain Jaubert	*Palettes*
6263.	Jean-Paul Kauffmann	*Outre-Terre*
6264.	Jérôme Leroy	*Jugan*
6265.	Michèle Lesbre	*Chemins*
6266.	Raduan Nassar	*Un verre de colère*
6267.	Jón Kalman Stefánsson	*D'ailleurs, les poissons n'ont pas de pieds*
6268.	Voltaire	*Lettres choisies*
6269.	Saint Augustin	*La Création du monde et le Temps*
6270.	Machiavel	*Ceux qui désirent acquérir la grâce d'un prince...*
6271.	Ovide	*Les remèdes à l'amour* suivi de *Les Produits de beauté pour le visage de la femme*
6272.	Bossuet	*Sur la brièveté de la vie* et autres sermons
6273.	Jessie Burton	*Miniaturiste*
6274.	Albert Camus – René Char	*Correspondance 1946-1959*
6275.	Erri De Luca	*Histoire d'Irène*
6276.	Marc Dugain	*Ultime partie. Trilogie de L'emprise, III*
6277.	Joël Egloff	*J'enquête*
6278.	Nicolas Fargues	*Au pays du p'tit*
6279.	László Krasznahorkai	*Tango de Satan*
6280.	Tidiane N'Diaye	*Le génocide voilé*
6281.	Boualem Sansal	*2084. La fin du monde*
6282.	Philippe Sollers	*L'École du Mystère*
6283.	Isabelle Sorente	*La faille*
6285.	Jules Michelet	*Jeanne d'Arc*
6286.	Collectif	*Les écrivains engagent le débat. De Mirabeau à Malraux, 12 discours d'hommes de lettres à l'Assemblée nationale*
6287.	Alexandre Dumas	*Le Capitaine Paul*
6288.	Khalil Gibran	*Le Prophète*

6289. François Beaune	*La lune dans le puits*
6290. Yves Bichet	*L'été contraire*
6291. Milena Busquets	*Ça aussi, ça passera*
6292. Pascale Dewambrechies	*L'effacement*
6293. Philippe Djian	*Dispersez-vous, ralliez-vous !*
6294. Louisiane C. Dor	*Les méduses ont-elles sommeil ?*
6295. Pascale Gautier	*La clef sous la porte*
6296. Laïa Jufresa	*Umami*
6297. Héléna Marienské	*Les ennemis de la vie ordinaire*
6298. Carole Martinez	*La Terre qui penche*
6299. Ian McEwan	*L'intérêt de l'enfant*
6300. Edith Wharton	*La France en automobile*
6301. Élodie Bernard	*Le vol du paon mène à Lhassa*
6302. Jules Michelet	*Journal*
6303. Sénèque	*De la providence*
6304. Jean-Jacques Rousseau	*Le chemin de la perfection vous est ouvert...*
6305. Henry David Thoreau	*De la simplicité !*
6306. Érasme	*Complainte de la paix*
6307. Vincent Delecroix/ Philippe Forest	*Le deuil. Entre le chagrin et le néant*
6308. Olivier Bourdeaut	*En attendant Bojangles*
6309. Astrid Éliard	*Danser*
6310. Romain Gary	*Le Vin des morts*
6311. Ernest Hemingway	*Les aventures de Nick Adams*
6312. Ernest Hemingway	*Un chat sous la pluie*
6313. Vénus Khoury-Ghata	*La femme qui ne savait pas garder les hommes*
6314. Camille Laurens	*Celle que vous croyez*
6315. Agnès Mathieu-Daudé	*Un marin chilien*
6316. Alice McDermott	*Somenone*
6317. Marisha Pessl	*Intérieur nuit*
6318. Mario Vargas Llosa	*Le héros discret*
6319. Emmanuel Bove	*Bécon-les-Bruyères* suivi du *Retour de l'enfant*
6320. Dashiell Hammett	*Tulip*
6321. Stendhal	*L'abbesse de Castro*

6322.	Marie-Catherine Hecquet	*Histoire d'une jeune fille sauvage trouvée dans les bois à l'âge de dix ans*
6323.	Gustave Flaubert	*Le Dictionnaire des idées reçues*
6324.	F. Scott Fitzgerald	*Le réconciliateur* suivi de *Gretchen au bois dormant*
6325.	Madame de Staël	*Delphine*
6326.	John Green	*Qui es-tu Alaska ?*
6327.	Pierre Assouline	*Golem*
6328.	Alessandro Baricco	*La Jeune Épouse*
6329.	Amélie de Bourbon Parme	*Le secret de l'empereur*
6330.	Dave Eggers	*Le Cercle*
6331.	Tristan Garcia	*7. romans*
6332.	Mambou Aimée Gnali	*L'or des femmes*
6333.	Marie Nimier	*La plage*
6334.	Pajtim Statovci	*Mon chat Yugoslavia*
6335.	Antonio Tabucchi	*Nocturne indien*
6336.	Antonio Tabucchi	*Pour Isabel*
6337.	Iouri Tynianov	*La mort du Vazir-Moukhtar*
6338.	Raphaël Confiant	*Madame St-Clair. Reine de Harlem*
6339.	Fabrice Loi	*Pirates*
6340.	Anthony Trollope	*Les Tours de Barchester*
6341.	Christian Bobin	*L'homme-joie*
6342.	Emmanuel Carrère	*Il est avantageux d'avoir où aller*
6343.	Laurence Cossé	*La Grande Arche*
6344.	Jean-Paul Didierlaurent	*Le reste de leur vie*
6345.	Timothée de Fombelle	*Vango, II. Un prince sans royaume*
6346.	Karl Ove Knausgaard	*Jeune homme, Mon combat III*
6347.	Martin Winckler	*Abraham et fils*

Composition IGS
Impression Novoprint
à Barcelone, le 05 janvier 2018
Dépôt légal : janvier 2018

ISBN 978-2-07-276228-4./Imprimé en Espagne.